葉德輝文獻學考論

沈俊平 著

臺灣學生書局印行

葉德輝文獻學考論

目次

壹、葉德輝的生平活動與學術工作

一

葉德輝（1864－1927），字奐彬（也作煥彬），號直山，一號郋園。先世江蘇吳縣人。清咸豐中，太平軍進至江蘇時，其父葉浚蘭舉家遷居湖南長沙，以湘潭為籍。葉浚蘭以種植、販賣水果起家，善於投資理財，因而家道漸漸興旺，先後開過染坊、槽坊、錢鋪、百貨號，並經營黑茶生意，遠銷甘肅一帶。❶

葉德輝在八歲入私塾接受教育，因戀家厭學，所受課程，過日輒忘。其父曾親自講說《說文》、《資治通鑑》及《名臣言行錄》。但於學仍無興趣，以為天下至苦之事莫過於讀書，一度棄學習商。未三月，一夜忽開悟，憶前所讀書，皆了解，試為文，亦頗成章段，持以質塾師，竟稱譽，遂重入學，始習八股試帖。十七歲入長沙岳麓書院讀；二十二歲補湘潭縣附生，次年中式鄉試舉人；二十九歲進士及第，授吏部主事。嘗與部胥論事不合，擊

---

❶ 王逸明〈葉德輝年譜簡編〉，見王逸明主編《葉德輝集》冊 1（北京：學苑出版社，2007），頁 45。關於葉德輝的家世與生平，可參閱杜邁之、張承宗《葉德輝評傳》（長沙：岳麓書社，1986），頁 1－59。

其面。以乞養回籍。回湘後得王先謙（1842－1917）提拔，並將他引薦給長沙耆宿張雨珊、黃自元（1837－1918）等，遇事被邀入議，遂在地方紳士中漸露頭角。❷

光緒二十三年（1897），譚嗣同（1865－1898）與黃遵憲（1848－1905）、熊希齡（1870－1936）、江標（1860－1899）等在長沙設時務學堂，聘梁啟超（1873－1929）為學堂總講習。梁啟超宣導民權，又多言清代故實，臚舉失政，倡議變法，支持者日眾，引發湖南新、舊派的對峙。葉德輝撰《翼教叢編》數十萬言，將康有為（1858－1927）所著書，以及梁啟超所批學生札記及《時務報》、《湘報》、《湘學報》諸篇論文，逐條痛斥。葉德輝也曾與王先謙上書湖南巡撫陳寶箴（1831－1900），請求裁退梁啟超。隨著反對維新運動激進化壓力的加強，梁啟超以及大多數維新派人士被迫離開湖南。激進維新派人士原本打算以阻擾新政之罪，將葉德輝逮捕審問。然而，由於慈禧太后（1835－1908）發動宮廷政變，囚禁光緒帝（1871－1908），捕殺維新黨人，使得這個行動宣告流產。❸

---

❷ 王逸明〈葉德輝年譜簡編〉，頁 45－47；葉德輝〈郋園六十自敘〉，見《葉德輝集》冊 2，頁 135－136。

❸ 洪妙娟《葉德輝（1864－1927）的政治思想與活動》（臺北：國立清華大學歷史研究所碩士論文，1998），頁 40－58；葉德輝〈郋園六十自敘〉，頁 137。關於湖南維新運動的詳細情況，可詳參林能士《清季湖南的新政運動：一八九五——一八九八》（臺北：國立臺灣大學文學院，1972）；尹飛舟《湖南維新運動研究》（長沙：湖南教育出版社，1999）；Charlton M. Lewis, “The Hunanese Elite and the Reform

戊戌政變後，湖南維新運動土崩瓦解，激進維新派人士或被殺，或被囚禁，或逃離湖南避風頭，反對激進維新派人士的勢力日漸強大。光緒二十六年（1900），唐才常（1867－1900）在武漢領導自立軍起義，被張之洞（1837－1909）鎮壓。湖南巡撫俞廉三（？－1912）在湖南與王先謙、葉德輝等人合作，搜索逮捕激進維新派人士。❹

自宣統元年（1909）夏天以來，由於水災歉收，湖南米價持續上漲。官、商爭相囤積米穀謀利，互不救市。葉德輝亦積米穀萬石，不肯減價出售。宣統二年（1910）四月十一日至十五日，長沙饑民搶米風潮爆發，劫掠街市，焚燒洋行教堂以及巡撫衙門。巡撫岑春蓂（1860－1944）令常備軍開槍鎮壓，死數十人。後以中外軍隊聯手圍城，武力威懾，事始緩和。巡撫衙門被燒毀後，岑春蓂向湖廣總督瑞澂（1864－1912）陳情，將責任推卸給長沙紳商。瑞澂奏參王先謙、葉德輝、孔憲教、楊鞏等鄉紳挾私擾亂，請予懲處。清廷下旨王、孔降五級調用，葉德輝和楊鞏則被革去功名，交由地方官嚴加管束。❺

Movement, 1895-1898", *Journal Of Asian Studies,* Vol. 29, 1 (November 1969), pp. 35-42.

❹ 洪妙娟《葉德輝（1864－1927）的政治思想與活動》，頁 59－61。

❺ 關於這次搶米風潮的詳細情況，可詳參彭祖珍〈 一九一〇年長沙「搶米」風潮〉，見湖南史學會編《辛亥革命在湖南》（長沙：湖南人民出版社，1984），頁 151－167；Arthur L. Rosenbaum, "Gentry Power and the Changsha Rice Riot of 1910", *Journal of Asian Studie,* Vol. 34, 3 (May 1975), pp. 689－715.

辛亥湖南獨立，湖南都督府軍政部長唐蟒（1887－1954）以葉德輝平日反對革命，且聽聞其父唐才常之死與葉德輝有關，乃逮捕之，欲置之於死地，幸得到章炳麟（1869－1936）、王闓運（1833－1916）電救，才得到釋放。民國四年（1915），葉德輝被選為湖南教育會會長，同年在長沙成立經學會。值帝制議起，湖南支援最力。葉德輝在湖南組織籌安分會，擔任會長，請願勸進，擁戴袁世凱（1859－1916）復辟帝制。晚年，任長沙總商會會長。❻

民國十六年（1927），葉德輝對共產黨在長沙發起的農民運動深惡痛絕；因題一聯，痛罵農協分子。聯曰：「農運宏開，稻、梁、菽、麥、黍、稷，盡皆雜種。會場廣闊，馬、牛、羊、雞、犬、豖，都是畜生」；橫額為：「斌、卡、尖、傀」，嘲笑農協分子不文不武、不上不下、不大不小、不人不鬼，可說是極盡譏笑之能事。湖南農協分子得悉此聯，恨之入骨，遂加以「土豪劣紳」之名，率眾將葉德輝擁至教育會前廣場公審。面對群情洶湧的群眾，葉德輝仍然面不改色，臨死不屈，猶戟指怒罵，後遭槍決，身受兩槍，一中頭部，一中心部，享年六十四歲。葉德輝遭處決後，家人恐被逮捕，均皆逃避，親近者無一敢為收屍成殮，後為長沙同善堂代爲收殮。❼

---

❻ 王逸明〈葉德輝年譜簡編〉，頁 51。

❼ 王覺源〈奇人異事葉德輝〉，見王著《近代中國人物漫譚》（臺北：東大圖書公司，1987），頁 602；王逸明〈葉德輝年譜簡編〉，頁 53。漢口《民國日報》刊載了葉德輝遭共產黨處決的報告，標題為〈湖南省特別法庭判決葉德輝死刑〉，記述葉德輝的罪狀和所遭的懲處：

由上所述，葉德輝一生的政治立場，不外反對維新、反對民主、主張君主專制、擁護復辟、反對共產黨。❽葉德輝墓前的詩句：「九死關頭來去慣，一生箕口是非多」❾，正是其政治生涯的最佳注腳。

葉德輝不僅政治與社會經歷富有傳奇彩色，在生命情調的經營上也呈現多元化樣態。❿葉德輝一度活躍於湖南政壇與社交

「特別法庭，昨處決湘省著名劣紳葉德輝，宣佈罪狀於下：宣佈罪狀事。案據湖南省農民協會函開，敬啟者，案查葉德輝係前籌安會會長，省城反動派領袖，茲經敝會拿獲，相應函請貴法庭請予從速處決，以肅反動，而利革命進行，至紉公誼。等因准此。經本法庭提案審訊，其犯罪證據，計分五點：（一）前清時即仇視革新派，戊戌政變，殘殺革命人士，為內幕主張之人；（二）充籌安會會長，稱臣袁氏，促成袁氏稱帝；（三）促成吳佩孚武力統一，並主張趙恒錫受北京政府任命；（四）萬惡軍閥迭予要職，利用其封建思想，發表封建式之文字，為反動之宣傳；（五）為省城著名反動派領袖，及著名土豪劣紳。總上幾點，均經該犯當庭自行供認不諱。情節重大，罪無可逭。應依照湖南審判土豪劣紳特別法庭組織條例第九條，湖南省審判土豪劣紳暫行條例第一條暨同條例第二條之規定，處以死刑；並沒收其財產。除監提該犯，驗明正身，綁赴刑場執行死刑外，合亟宣佈罪狀，俾眾周知。此布。委員：吳鴻騫、馮天柱、謝覺齋、戴述人、易禮容。」見中國革命博物館、湖南省博物館編《湖南農民運動資料選編》（北京：人民出版社，1988），頁 528—529。

❽ 蔡芳定《葉德輝書林清話研究》（臺北：文史哲出版社，1999），頁 16。

❾ 李肖聃《星廬筆記》（長沙：岳麓書社，1983），頁 31。

❿ 蔡芳定《葉德輝書林清話研究》，〈自序〉，頁 16。

界，其交遊極其廣闊，與張之洞、王先謙、張雨珊、黃自元、吳大澂（1835－1903）、張謇（1853－1926）、陳慶年、孔憲教、楊翚等皆有往來。葉德輝又是當時著名的藏書家，與當時不少藏書家有頗爲頻繁的往來，其中包括王先謙、潘祖蔭（1829－1890）、繆荃孫（1844－1919）、葉昌熾（1849－1917）、江標（1860－1899）、端方（1861－1911）、傅增湘（1872－1950）、張元濟（1867－1959）、莫棠、丁惠康（1868－1909）等都與葉德輝頗有深交。就他們的交往內容而言，有刻書互贈，有藏書交換，有藏書傳閱，也有具體的版本目錄學問題的探討等。⑪

值得一提的是，葉德輝的社交圈子並不局限在海內，亦涉足東瀛。甲午戰爭後，日本成立了一些以研究東方問題尤其是中國問題、挽救時局為目的的團體。其中以東亞同文會的規模最大，其成員足跡遍及中國大陸。除搜集情報外，亦有致力於文化研究者。東亞同文會致力於對華文化事業，不僅辦報紙、設學校，還介紹日本學者來華遍訪名宿，尋師問學。湖南碩學通儒如王先謙、王闓運、葉德輝等人都成為日本人士造訪的對象。僅見諸葉德輝詩文中的，就有鹽谷時敏、竹添光鴻（1842－1917）、永井久一郎、白岩龍平、內藤虎次郎（1866－1934）、宇野哲人（1875－1974）、鹽谷溫（1878－1962）、松崎鶴雄（1868－1949）等日本著名學者，散見於其他史料中的更多。就交往形式而言，有通信訂交、日本學人登門拜訪、日本留學生跟隨葉德輝求學等；就交往對象而言，則有東亞同文會成員、日本老宿之士、知名學者與

---

⑪ 詳參本書〈葉德輝與藏書家和版本目錄學家之交往活動〉的討論。

年輕的留學生；就交往內容而言，有詩詞唱和，有古籍交換，有探討具體的學術問題如經學、小學等。⓬

在性格與作風上，葉德輝素來玩世不恭，不拘小節；又幽默詼諧，妙語如珠。說話時不管聽話的人的身分，也不拘忌於說話的場合，興之所至，就語帶雙關，奚落聽者一頓。據曾在葉德輝六十歲左右時見過他的左舜生（1893－1969）回憶，葉德輝「談鋒甚健」，「終席娓娓不倦」⓭，席中葉德輝曾這麼說：

> 戊戌後，我在湖北任存古學堂總教習，一日張香帥（之洞）在「抱冰堂」宴客，我在座。香帥於康梁初不甚拒，且於康所發起之強學會略有資助，維新失敗後，張乃多方洗刷，力證其與康梁無關，時梁啟超亡命日本，於《清議報》發表與張之萬言長書，於大阿哥一案對張攻擊無所不至，我一切裝作不知，乃故意向張大開頑笑：「香帥，你這個抱冰堂與飲冰室有多少關係吧？」張乃連聲答曰：「我的在前，我的在前。」⓮

張之洞（1837－1909）貴為湖廣總督，對葉德輝亦有提拔之恩，葉德輝原本應該對他言聽計從。但葉德輝一點也不顧忌張之洞的

⓬ 關於葉德輝與日本學者往來的詳細情況，可參閱張晶萍〈葉德輝與日本學者的交往及其日本想像〉，見《廈門大學學報（哲學社會科學版）》2006 年第 4 期，頁 100－106。

⓭ 左舜生〈遊戲召禍的葉德輝〉，見左著《萬竹樓隨筆》（香港：自由出版社，1957），頁 151。

⓮ 同上注，頁 151－152。

身分，也不理會張之洞對他的恩寵，反而在不適當的場合調侃張之洞，弄得張之洞啼笑皆非。葉德輝所以遭殺身之禍，在很大的程度上必須歸咎於其口無遮攔的作風。在風雲變幻的時代裡，在特殊的意識形態下，像葉德輝這樣的過街老鼠，往往首當其衝，很容易的就被投機政治家冠予專門欺壓老百姓的帽子，成為他們利用來籠絡及煽動人心的工具。若葉德輝的時代嗅覺敏感一些，及時看清當時局勢對土豪劣紳處境的不利，而在言行舉止檢點一些，說不定又能再逃過一劫，安享晚年。

葉德輝那種玩世不恭、遊戲人間的輕浮態度，亦表現在其私生活的不檢點上。他一生沉溺聲色，荒淫混世。特別是戊戌政變以後，葉德輝感到「憂時則時已過」，在地方上已打下了深厚的根基，已無後顧之憂後，就更加縱淫無度了。據說「葉德輝在六十大慶過後的晚年，精力依然健旺，蓄有十五六歲的妙齡少女多人」⓯。此外，長沙有些私娼也為他長期包占。⓰

葉德輝自己私德不修，荒淫混世，若不累人，可能還不會為人所垢病。時人流傳的詩句有云：「欲識許梁二季子，須交王葉兩痲皮。」可見王、葉兩人對士子流毒之深。⓱一些後生小輩為了討好他，希望藉葉德輝當時的勢力撈到一點好處，就投其所好，跟隨他流連於聲色場所，過著燈紅酒綠，日夜顛倒的不規律生活。據李肖聃（1881－1953）《星廬筆記》記載：

⓯ 胡耐安〈書林清問葉郎園〉，見胡著《六十年來人物識小錄》（臺北：臺灣商務印書館，1977），頁90。

⓰ 杜邁之、張承宗《葉德輝評傳》，頁48。

⓱ 同上注，頁49。

> 光緒中，長沙王運長、徐崇立、馬象雍，善化許崇熙、龔福燾、梁稚非，皆以諸生擅長文藝，與葉吏部德輝日夜豪遊，長沙市人相目為十二神。而稚非天才甚高，學使江標欲拔而貢之於朝，終以厄於學官，不舉優行，不能有成。稚非益自放於禮法之外，夏日常裸體居室中，不衫不褲。省城迎城隍神，雜陳百戲，稚非與妖童曼姬乘輿共席，遊行市中。於是學官弟子、縉紳先生交口非詆之，獨德輝時時左右之。⓲

這些跟隨葉德輝流連聲色場所的後生小輩，不少是名噪一時的少年秀才，他們都為王先謙、葉德輝所賞識。

葉德輝除了喜漁女色外，還玩弄男色，尤慣於污辱殘害藝人。光緒末年間，他包占湘劇同春班，為捧所占旦角，常每晚必到。時有小生言道南，剛成名，為葉德輝所迫，竟至用鏹水自殺。⓳

二

葉德輝是科舉時代所培養的典型傳統士紳。理學和漢學是清代知識分子所受學術涵養的主要成分，前者受到清廷的支持，是為官方刻意標榜的意識形態之學；至於漢學以考證為主，首重校勘訓詁。由顧炎武（1613－1682）發其端，至乾嘉時代為其極盛期。有吳、皖二派，各以惠棟（1697－1785）、戴震（1723－

⓲ 李肖聃《星廬筆記》，頁 57。

⓳ 杜邁之、張承宗《葉德輝評傳》，頁 48。

1777）為其宗。研究內容以經學為中心，旁及小學、音韻、史學、金石、校勘、輯佚、天算、水地、典章與制度等。作為清季傳統知識分子的葉德輝也沒有例外地在這學術涵養中成長。⓴

葉德輝在其求學過程中受到完整的傳統式教育，自承對於《資治通鑑》和《名臣言行錄》二書著力甚多，其學術本源受此二書影響很大。他服膺朱子之學，曾自述：「鄙人於宋學之書，獨重朱子；於朱子之學，尤重實踐。」㉑說明葉德輝接受並認同了清廷刻意塑造的意識形態。㉒

考證學在葉德輝出生的年代雖已形瑣碎支離，趨於末流。㉓不過，葉德輝治學仍取徑於乾嘉諸儒，「得於鄉先輩顧、惠二先生遺著甚多」。㉔孫宗弼說他「邃於經術小學，而尤篤好許書」，說他曾自言「識字之始，亦取徑於乾嘉先儒遺書，久而博覽深思，遂破其藩籬以出」㉕。可見葉德輝重視校勘訓詁，對於文字學用功頗深。㉖繆荃孫曾盛讚葉德輝「精研經義、字學、輿地、文

⓴ 洪妙娟《葉德輝（1864－1927）的政治思想與活動》，頁32。

㉑ 葉德輝《郋園論學書札》，〈與羅敬則大令書〉，見《葉德輝集》冊1，頁331，

㉒ 洪妙娟《葉德輝（1864－1927）的政治思想與活動》，頁32－33。

㉓ 余英時《中國思想傳統的現代詮釋》（臺北：聯經出版事業公司，1987），頁58。

㉔ 葉德輝《郋園山居文錄》卷上，〈龍啟端《古韻通說》書後〉，見《葉德輝集》冊2，頁110。

㉕ 葉德輝《六書古微》，孫宗弼〈六書古微序〉，見《葉德輝集》第2冊，頁193。

㉖ 洪妙娟《葉德輝（1864－1927）的政治思想與活動》，頁34。

詞，旁及星命、醫術、堪輿、梵夾，無不貫通」。㉗其著述甚豐，李肖聃在〈郎園學略〉中說：

> 湘潭葉郎園所著書，於經有《周禮鄭注改字考》六卷、《儀禮鄭注改字考》十七卷、《禮部鄭注改字考》二十卷、《春秋三傳地名異文考》六卷、《春秋三傳人名異文考》六卷、《經學通詁》附《經學緒言》六卷、《孝經述義》三卷、《天文本論語校勘記》一卷、《孟子劉熙注》一卷；於小學有《六書古微》十卷、《同聲假借字考》二卷、《釋人疏證》二卷、《說文讀若考》八卷、《說文籀文考證》二卷；於子有輯《傅子》三卷《訂誤》一卷、《鬻子》二卷、《孫柔之瑞應圖記》一卷、《淮南萬畢術》一卷、《星命真原》十卷；於史有《隋書經籍志考證》六卷、《漢律疏證》六卷、輯《山公啟事》一卷、《山公佚事》一卷、《宋趙忠定奏議別錄》八卷、《宋紹興秘書省續編到四庫闕書目考證》二卷、《四庫全書總目板本考》二十卷、《觀古堂藏書目錄》四卷、《郎園讀書志》十卷、《書林清話》十卷、《餘話》二卷、《藏書十約》一卷；於集有《古泉雜誌》四卷、《消夏百一詩》二卷、《觀畫百詠》四卷、《和金檜門觀劇絕句》一卷、《昆侖皕詠》二卷、《南遊集》一卷、《書空集》一卷、《歲寒集》一卷、《漢上集》一卷、《於京集》一卷、《還吳集》四卷、《北征集》四卷、《浮湘集》一卷、

㉗ 葉德輝《書林清話》卷一前，繆荃孫〈書林清話序〉，民國庚申（1920）觀古堂刊本，頁1上。

《山居文錄》四卷、《北游文存》二卷、《翼教叢編》六卷、《覺迷要錄》四卷、《輶軒今語評》二卷。㉘

其學術有著作行世的，主要是經學、文字學、文學及版本目錄學等四個方面。死後子侄及其學生於民國二十四年（1935）將其大部分重要著述及所輯所刻書匯集成《郎園全書》，所存書一百二十九種，蔚為二百冊之規模。㉙

葉德輝治學嚴謹，學術涉及面廣而深，其中對版本目錄學的研究尤為突出，具有廣泛影響力的相關著述很多，有探討中國書史、版本學的《書林清話》、《書林餘話》，有著錄其藏書的《觀古堂藏書目》，有彙錄其讀書筆記的《郎園讀書志》，有總彙宋、明、清歷代官、私書目中重要而罕見書目的《觀古堂書目叢刻》，有總結其藏書經驗的《藏書十約》，還有校補前人書目的〈書目答問斠補〉與〈校正書目答問序〉等。㉚

經學方面，葉德輝有著明顯的古文經學傾向，重視《左傳》而厭聞《公羊》，並兼重朱子之學。「其平居持論，嘗謂崇聖不可以徒致，必首事於通經；通經不可以陵節，必循途於識字。而詔

㉘ 李肖聃《湘學略》，〈郎園學略第二十二〉（長沙：岳麓書社，1985），頁 216。其版本目錄學著作尚有針對張之洞《書目答問》之疏漏而撰著的〈書目答問斠補〉和〈校正書目答問序〉。

㉙ 參見蔡芳定《葉德輝觀古堂藏書研究》，收錄於潘美月、杜潔祥主編《古典文獻研究輯刊初編》第 10 冊（臺北：花木蘭文化工作坊，2005），頁 14；《中國叢書綜錄》冊 1（上海：上海古籍出版社，1986），頁 249－251。

㉚ 詳參本書〈葉德輝的版本目錄學工作探析〉的討論。

後學以所從入，必先於簿錄考溯其遠流，開示其閫奧。」㉛繼承了乾嘉漢學重文字音韻考據的傳統，以經學家相期許、以通經尊孔為宗旨。葉德輝自覺意識到考據有繁瑣破碎之弊，卻不失為治經之正途、學術之本源。這種對「治經之正途」的堅持、對漢學的篤守，相當具體地體現在《經學通詁》這部經學教科書中。㉜此書旨在介紹經學流派、經學書目以及經學門徑，並不在闡發各經的大義。篤守漢學是葉德輝的特點，而崇尚朱子也是他的學術主張之一。他自稱「平生頗尚漢學，而獨崇朱子」㉝，希望人們篤守宋儒之學，尤其是朱子之學。㉞

葉德輝對古文字的研究，主要體現在《說文》研究上。從十歲開始，他就開始學習說文，「自二十歲以後迄今四十年，舟車出入必以《說文解字》」，曾言「《說文解字》為治群書之梯航」，其「手校《說文》，密行細字盈滿行間」。㉟其研究《說文》著作，有《說文解字故訓》（未刊）、《釋人疏證》、《說文「讀若」字考》、《六書古微》、《同聲假借字考》、《說文籀文考證》，以及《群經說文字例》等。㊱

㉛ 李肖聃《湘學略》，〈郋園學略第二十二〉，頁 217。

㉜ 張晶萍〈從《翼教叢編》看葉德輝的學術思想〉，見《湖南大學學報（社會科學版）》2004 年第 4 期，頁 44－45。

㉝ 葉德輝《經學通詁》，見《葉德輝集》冊 2，頁 31。

㉞ 張晶萍〈從《翼教叢編》看葉德輝的學術思想〉，頁 46。

㊱ 袁慶述〈清末民初湖湘學派的古文字研究〉，見《古漢語研究》2008 年第 1 期，頁 59。

文學方面，葉德輝涉獵廣泛，文采斐然，論文私淑歸有光（1506－1571）、方苞（1668－1749）、姚鼐（1731－1815）、張惠言（1761－1802）等人。葉德輝「嘗言不以詩文名世，因而叢殘多缺，舊稿難求」，《郎園全書》所輯「僅留片羽」。㊲存世的文學著作有《郎園詩文集》、《郎園詩鈔》、《郎園北游文存》、《郎園山居文錄》等。

收藏方面，葉氏家道殷實，喜好收藏，凡「經籍、金石、書畫、陶瓷、錢幣，無不羅致」，以賞鑑「為人生一大樂事」。㊳可知葉德輝亦承襲了乾嘉考證學者的好古之風，除古代典籍之外，也廣泛搜集古文物，加以研究整理，以資相互考證。藏書處名「麗廔」，藏書畫處名「雙梅影闇」，藏金石處名「周情孔思室」，藏泉處名「歸貨齋」。著書處初名「元尚齋」，後因與成都王秉恩「元尚居」重，改名「觀古堂」。㊴清季末世，迭更喪亂。江浙文物之會，圖籍蕩佚，板刻多毀，印本漸稀。葉德輝積半生心力，累萬鉅資，萃力於圖書之收藏。據其兒子葉啟倬（1889－？）、葉啟慕（1891－？）之描述，葉德輝日以搜訪書籍為樂，每歲歸來，家中必當增添多櫥之新刻舊本，往往檢視彌月仍不能罄工。葉德輝好書成癖，即使在流離顛沛之中，仍不改其常度。㊵更有趣的是，他嘗書「老婆不借，書不借」的條子，粘貼在書架上，

㊲ 王嘯蘇〈葉郎園先生遺書序〉，見《葉德輝集》冊 1，頁 21。

㊳ 葉德輝《書林清話》卷一前，繆荃孫〈書林清話序〉，頁 1 上。

㊴ 王逸明〈葉德輝年譜簡編〉，頁 45。

㊵ 葉德輝《觀古堂藏書目》卷四後，葉啟倬、葉啟慕〈跋〉，見《葉德輝集》冊 4，頁 156。

可見其愛書之癡迷。[41]至辛亥時，插架已達卷十六萬有奇，以重刻計之，二十萬卷之外。[42]後十餘年又有擴張，據估計其藏書至1927年辭世時可能已超過三十萬卷。[43]

葉德輝的藏書內容，就類別而言，以經學、小學最具特色，以集部的總數最多；就版本而言，則以清刻本居首。康雍乾嘉四朝承平，士大夫優遊文事，即勇於著述，又精於刊刻，校勘精善，可媲美宋元，故葉德輝十分重視清人經學著作的收藏。除此，葉德輝對乾嘉詩文集的搜集亦不遺餘力。[44]

---

[41] 王覺源〈奇人異事葉德輝〉，頁 596。實際的情況是葉德輝也並非吝於通假之人，只是借書的對象有所篩選，較為嚴格罷了。他規定「非有書可以互抄之友，不輕借抄；非真同志著書之人，不輕借閱。舟車行笥，其書無副本者，不得輕攜。」（葉德輝《藏書十約》，〈收藏九〉，見《葉德輝集》冊 2，頁 25。）基本上，葉德輝願意將珍藏與有書可以互抄之友及真同志著書之人分享。（蔡芳定《葉德輝觀古堂藏書研究》，頁 62。）此外，張元濟在籌備刊印《四部叢刊》期間，葉德輝曾將自己的珍藏借出供影印用途，其中包括明翻宋岳氏刊本《周禮》十三卷六冊、徐氏翻宋刊本《儀禮》十七卷五冊、日本正平刊本《論語集解》十卷二冊、明刊本《古列女傳》七卷續一卷三冊和明刊本《鹽鐵論》十卷二冊等五種。

[42] 葉德輝《觀古堂藏書目》卷一前，葉德輝〈序〉，見《葉德輝集》冊 4，頁 1。

[43] 蘇精《近代藏書三十家》（臺北：傳記文學出版社，1983），頁 38。

[44] 關於葉德輝觀古堂藏書的詳細情況，可參閱蔡芳定《葉德輝觀古堂藏書研究》，頁 17－124。

葉德輝不僅藏書、著書名家，且以刻書著稱。他曾說：「欲求不朽者，莫如刊佈古書一法。」[45]葉德輝所以於著述與藏書外醉心於刻書活動，在很大的程度上是受了張之洞的影響。張之洞曾說：

> 凡有力好事之人，若自揣德業學問不足過人，而欲求不朽者，莫如刊佈古書一法。但刻書必須不惜重費，延聘通人，甄擇秘笈，詳校精雕。刻書不擇佳惡，書佳而不讎校，猶糜費也。其書終古不廢，則刻書之人終古不泯。如歙之鮑，吳之黃，南海之伍，金山之錢，可決其五百年中必不泯滅，豈不勝於自著書自刻集者乎？假如就此錄中，隨舉一類，刻成叢書，即亦不惡。且刻書者，傳先哲之精蘊，啟後學之困蒙，亦利濟之先務，積善之雅談也。[46]

葉德輝贊同張之洞的看法。他在《書林清話》的開篇〈總論刻書之益〉一則就曾引用張之洞的這段話。在此則中，他進一步引用宋代司馬光（1019－1086）曾說過的「積金以遺子孫，子孫未必能盡守；積書以遺子孫，子孫未必能盡讀。不如積陰德於冥冥之中，以為子孫無窮之計」的這段話。葉德輝說：「吾有一說焉。積金不如積書，積書不如積陰德，是固然矣。今有一事，積書與積

---

[45] 葉德輝《書林清話》卷一，〈總論刻書之益〉，頁4上。

[46] 張之洞《書目答問》，〈勸刻書說〉（臺北：新文豐出版公司，1974），頁110。

陰德皆兼之，而又與積金無異，則刻書是也。」㊼為「積陰德」而刻書，或許可以用來解釋葉德輝熱衷刻書的原因。

為使古籍能廣為流傳，葉德輝往往就其藏書之中，選取未經傳刻或罕見之本，一一予以刊行。㊽因而葉德輝大量刊印書籍，其「所著及校刻書凡數十百種，多以行世」。㊾其刻書內容相當廣泛，包括經學、小學、子書、曆法、史書、書目、傳記、藝術、雜藝、家集、詩集等，與葉德輝的學術喜好頗有關聯。其刻書多以「葉氏觀古堂刊」、「葉氏郎園刊」、「長沙葉氏刊」署名。㊿其刻書除以單行本行世外，也曾將這些單行本分別結集成叢書，有《觀古堂彙刻書》二集十七種、《觀古堂所著書》二集十五種、《觀古堂書目叢刻》十五種、《麗廔叢書》八種、《石林遺書》十三種、《雙梅影闇叢書》十七種等。㉛其中包括自著書、家集、書目、遊藝、房中書等。

㊼ 葉德輝《書林清話》卷一，〈總論刻書之益〉，頁 1 下－2 上。

㊽ 蔡芳定《葉德輝觀古堂藏書研究》，頁 63。

㊾ 汪兆鏞《碑傳集三編》卷四一《文苑六》，許崇熙〈郎園先生墓誌銘〉，見周駿富輯《清代傳記叢刊》第 126 冊（臺北：明文書局，1985），頁 510。

㊿ 葉德輝刻書之細目，可參閱王逸明、孫有東、劉海翼等整理〈郎園出版書目之一：郎園生前出版單書詳目〉，見《葉德輝集》冊 1，頁 24－39。

㉛ 關於葉德輝所刊叢書的情況，可詳參拙文〈葉德輝所刊刻叢書的研究〉，見《圖書與情報》2001 年第 1 期，頁 47－51。葉德輝彙編叢書細目，可參閱王逸明、孫有東、劉海翼等整理〈郎園出版書目之三·郎園彙編叢書及郎園全書簡目〉，見《葉德輝集》冊 1，頁 40－44。

貳、葉德輝觀古堂藏書述略

葉德輝家道殷實，喜好收藏，凡「經籍、金石、書畫、陶瓷、錢幣，無不羅致」，以「賞鑑為人生一大樂事」。❶觀古堂是葉德輝之室名及其藏書樓之名，在長沙洪家井寓宅內。清季末世，迭更喪亂。江浙文物之會，圖籍蕩佚，板刻多毀，印本漸稀。葉德輝「竭四十年心力，凡四部要籍無不搜羅宏富，充棟連櫥」❷。據其兒子葉啟倬、葉啟慕之描述，葉德輝日以搜訪書籍為樂，每歲歸來，家中必當增添多櫥之新刻舊本，往往檢視彌月仍不能罄工。葉德輝好書成癖，即使在流離顛沛之中，仍不改其常度。❸至辛亥時，插架已達卷十六萬有奇，以重刻計之，二十萬卷之外。❹後十餘年又有擴張，據估計其藏書至 1927 年辭世時

---

❶ 葉德輝《書林清話》卷一前，繆荃孫〈書林清話序〉，民國庚申（1920）觀古堂刊本，頁 1 上。

❷ 葉德輝《郋園讀書志》，劉肇隅〈郋園讀書志序〉，見《葉德輝集》冊 3，頁 1。

❸ 葉德輝《觀古堂藏書目》卷四後，葉啟倬、葉啟慕〈跋〉，見《葉德輝集》冊 4，頁 156。

❹ 葉德輝《觀古堂藏書目》卷一前，葉德輝〈《觀古堂藏書目》序〉，見《葉德輝集》冊 4，頁 1。

可能已超過三十萬卷。❺傅增湘曾說：「吏部君奮起於諸公之後，其閎識曠才銳，欲整齊四部，網羅百家，與當代瞿、陸、丁、楊齊驅並駕，惜生逢陽九，志不獲舒，而身亦被禍，然其風流餘韻猶能霑溉後學於無窮。」❻傅增湘和葉德輝是同時期的大藏書家，與葉德輝有「北傅南葉」之稱。❼傅氏把葉德輝在私家藏書的地位提升到和晚清四大藏書家同等，實際上並非諛美之詞，這是因為無論是從藏書的質與量兩方面來說，觀古堂藏書都足以和四大家比美。

葉德輝觀古堂藏書的來源有二：一是先祖遺書；二是葉德輝個人的搜求採訪。葉德輝的先祖中有不少藏書家，故他總以祖先為榮，每一提及藏書，言必稱列祖列宗之藏書成就。葉德輝「先代藏書三十世」，其中較有份量的藏書家先祖包括葉夢得（1077－1148）、葉盛（1420－1474）、葉晨、葉恭煥、葉國華、葉方藹（1629－1682）、葉奕苞、葉樹廉（1619－1685）、葉奕等人，葉德輝以為他們的藏書即使是「殘篇斷冊」，得之者仍「寶若球圖」。❽葉德輝雖沒有直接繼承他們的藏書，但觀古堂藏書在精神及實質上皆由此家學淵源而來。觀古堂藏書中來源自家傳的，主

❺ 蘇精《近代藏書三十家》（臺北：傳記文學出版社，1983），頁38。

❻ 葉啟勳《拾經樓紬書錄》，傅增湘〈長沙葉氏紬書錄序〉，見《書目叢編》第16種（臺北：廣文書局，1967），頁2下。

❼ 李玉安、陳傳藝《中國藏書家辭典》（武漢：湖北教育出版社，1989），頁306。

❽ 葉德輝《觀古堂詩集》，〈還吳集〉丙辰，〈日本兼山春篁先生俊興畫麗慶藏書圖見贈賦詩志謝〉，見《葉德輝集》冊1，頁182。

要是其曾祖、祖父二代收藏之積聚。他曾說：「先曾祖先祖兩世皆好藏書，當乾嘉盛時，在籍耆紳如王西沚光祿鳴盛、沈歸愚尚書皆與余家往來，園林題額，至今猶在頹垣破壁間，每過祖庭，相見當時文采風流，終不泯滅也。」❾說明葉德輝曾祖父與祖父兩代因好藏書而和當時的社會名流結識，往來頗為頻密。曾祖、祖父藏書包括鄉先賢顧炎武、錢大昕（1728－1804）諸書，汲古閣所刊經史殘冊、唐宋詩文集，及先祖著述。先祖的藏書，到了父親葉浚蘭手上也得到妥當保管。葉浚蘭攜帶一家大小由江蘇吳縣遷徙到湖湘時，仍不忘攜帶祖上藏書。安家後不僅將它們妥為保存，且督促兒子善加利用這些藏書，使得他們「略窺著作門庭」。葉浚蘭逝世後，這批藏書就由長子葉德輝繼承。除了繼承家傳外，葉德輝本人也不遺餘力地採訪市面上流通的書籍。葉德輝主要是通過採購、交換、贈送和抄錄四種方式搜集書籍，其中超過半數的書籍是來自於採購。❿葉德輝從光緒十二年（1866）入京會試時，每日到廠肆選購而開始收藏，以後不論是在湖南鄉居或遊覽京師各地，都隨時搜羅，先後得到袁芳瑛（？－1858）「臥雪樓」、商丘宋蘭揮「緯蕭草堂」、曲阜孔繼潤「紅櫚書屋」、王士禎（1634－1711）「池北書庫」、馬國翰（1794－1857）「玉函山房」等舊藏不少。⓫

---

❾ 葉德輝《觀古堂藏書目》卷一前，葉德輝〈《觀古堂藏書目》序〉，頁 1。

❿ 蔡芳定《葉德輝觀古堂藏書研究》，頁 41－48。

⓫ 葉德輝《觀古堂藏書目》卷一前，葉德輝〈《觀古堂藏書目》序〉，頁 1。

從所藏類別來說，觀古堂藏書中以別集，尤其是清人之詩文集最多。⑫葉德輝之侄葉啟勳指出葉德輝十分欣賞舒位《乾嘉詩壇點將錄》一書，有意繼起彙編《乾嘉詩壇點將錄詩徵》，因而相當留心清人各類著述，故清人詩文集方面的搜集也就特別豐富，構成觀古堂藏書的一大特色。⑬同時，葉德輝治學以經學、文字學為主，因此這兩類書籍的數量在觀古堂藏書中頗為可觀，尤其重視清朝人的經義著述。此外，觀古堂藏書中較為人所忽略的是其目錄學著作的收藏，包括官私書目、讀書題跋以及簿錄考訂類等書籍。約略估計，觀古堂所藏目錄學書籍共有 122 部，較《四庫全書總目》所著錄的 20 餘部為多。細考葉德輝觀古堂的這批目錄學藏書，有兩大特色：一是收有了不少乾隆以來的目錄學著作，通過這個側面我們可以看出當時目錄學發展的鼎盛狀況；二是收有不少日本學者研究中國目錄學的著作，如《日本唐時現在書目》一卷、《古文舊書考》四卷、《皕宋樓藏書源流》，這些著作一方面反映了日本學術界對中國版本目錄學研究的狀況，另一方面反映了中國書籍在日本流傳的狀況，這對學者研究書籍版本源流有很大的裨益。從這裡，我們發現葉德輝觀古堂藏有不少有用之書，說明葉德輝藏書的目的不是為藏書而藏書，其目的是為讀書。

---

⑫ 蔡芳定《葉德輝觀古堂藏書研究》，頁 28。

⑬ 葉德輝《郋園讀書志》卷十六後，葉啟勳〈《郋園讀書志》跋〉，見《葉德輝集》冊 3，頁 419。

葉德輝利用觀古堂豐富藏書著書立說，其中影響力最大的莫過於《書林清話》一書。譚卓垣在《清代圖書館發展史》評價《書林清話》時稱葉德輝所以能夠成功地敘述了中國雕版的歷史、各代刻書的優劣以及關於圖書的掌故，就是得助於本身的藏書。⓮《書林清話》中所徵引官私書目、讀書題跋俱見於《觀古堂藏書目》，可見其藏書在他手上得到充分的利用。葉德輝的另一部目錄學著作《郋園讀書志》，亦是大量利用觀古堂所藏目錄學著作的情況下完成的。易言之，葉德輝所以能夠成為公認的版本目錄學大家，觀古堂豐富的典藏應記一功。

從藏書版本來說，葉德輝觀古堂收書的重點，一是明刻和清代私家精校精刻本，「於宋元明抄外，尤好收國朝諸儒家塾精校精刊之本」。蔡芳定曾對觀古堂藏書的版本進行了統計，得出了以下的數字：

	經	史	子	集	合計
宋刻	2	1	0	9	12
仿宋	37	19	30	41	127
元刻	6	6	11	7	30
仿元	5	5	4	2	16
明刻	132	206	410	318	1066
仿明	2	0	3	0	5
清刻	1791	1160	1073	1519	5543
日刻	17	12	9	4	42
活字本	13	44	42	45	164

⓮ Tan Cho-yuan, *The Development of the Chinese Libraries Under the Ch'ing Dynasty, 1644-1911* (Shanghai : The Commercial Press, 1935), p.82.

鈔本	11	64	35	39	149
其他	33	17	41	15	106
舊刻	0	2	0	1	3
小計	2049	1536	1658	2003	7246

通過以上圖表，發現觀古堂所藏的各種版本中，以清刻本的數量最多，約占藏書總數的 77%，其次為明刻本，約占 15%，可見明、清刻本為觀古堂藏書的主要內容。宋元刻本不多，若不包括仿刻本的話，僅 42 部，不到藏書總數的 1%。這在一定的程度上顯示葉德輝並非佞宋尚元之輩。⓯二為重視別本異本的收藏。他說：「每得一書，必廣求眾本，考其異同，蓋不如是不足以言考據。」⓰考據的方法主要是以校勘釐正本文，以訓詁貫通字義。⓱這方面的工作須得助於本文以外的其他的本子，只有這樣，才能得出客觀和符合實際的結論。在《觀古堂藏書目》中，發現在一書底下，往往著錄了不少異本，有的甚至有四、五種之多。從這裡，我們可看出葉德輝藏書的目的不單單是為了讀書，而是為了學術研究，否則就不須花費那麼多精力去搜求異本了。由於葉德輝有明確的版本觀念和研究方向，故其藏書中「重本、別本數

⓯ 蔡芳定《葉德輝觀古堂藏書研究》，頁 28－31。

⓰ 葉德輝《郋園讀書志》卷十六後，葉啟發〈《郋園讀書志》跋〉，見《葉德輝集》冊 3，頁 420。

⓱ 趙國璋、潘樹廣主編《文獻學辭典》（南昌：江西教育出版社，1991），頁 327。

倍於四庫」⑱。且「別本、重本之多，往往為前此藏書家所未有」⑲。

葉德輝藏書中有不少珍本，其中包括宋本、元刻本、明刻本、鈔本、名人手鈔、日刻本等等。在這些珍本中，最為葉德輝自得的是《韋蘇州集》，他以為此書「非止北宋本第一，亦海內藏書第一也！」⑳然而，對於此書，近代學者大都抱著存疑的態度，這是因為在此之前各藏書目錄均無有關此種宋本之記載。趙萬里認為是明銅板活字本，張秀民也以為是明活字本唐人集之一種。㉑《韋蘇州集》外，觀古堂中的珍本還有宋孝宗隆興元年（1163）刊本《南嶽總勝集》、宋寧宗嘉定（1208－1224）刊本《玉臺新詠》、金刻本《埤雅》等。㉒

由於私人藏書家的搜訪藏書的範圍畢竟有限，一些孤本、珍本已不可能在市面上找到，它們可能為個別藏書家所珍藏。若要得到它們，除了向藏書家直接收購外，或者就得通過自己和藏書家特殊的交情商借影鈔。作為私人藏書家以及版本目錄學家的葉德輝非常重視私家藏書，他在《百川書志》校刊序中提出「私家

---

⑱ 葉德輝《觀古堂詩集》，〈朱亭集〉，〈山中十憶詩·憶藏書〉，見《葉德輝集》冊1，頁139。

⑲ 葉德輝《郋園讀書志》，劉肇隅〈郋園讀書志序〉，見《葉德輝集》冊3，頁1。

⑳ 葉德輝《郋園讀書志》卷七，跋北宋膠泥活字印本《韋蘇州集》十卷，見《葉德輝集》冊3，頁188。

㉑ 李書華《中國印刷術起源》（香港：新亞研究所，1962），頁190。

㉒ 葉德輝《觀古堂詩集》，〈朱亭集〉，〈山中十憶詩·憶藏書〉，見《葉德輝集》冊1，頁139－140。

之藏，所以補一朝館閣之闕略」㉓的觀點。從這一觀點出發，葉德輝與當時不少大藏書家如葉昌熾、傅增湘、繆荃孫、張元濟、丁惠康、王先謙、江標、端方、潘祖蔭、瞿啟甲等等皆有交往，除了經常利用他們的藏書來補自己所缺以進行版本目錄學研究的工作外，也經常獲得藏書家的典籍饋贈或慷慨借鈔，豐富了觀古堂的收藏。㉔

對所藏典籍，葉德輝皆予以妥善保存整理。葉德輝保存整理藏書的方法，可見於其所著的《藏書十約》。《藏書十約》可說是葉德輝歷年來累積的藏書管理心得的記錄。在中國藏書史上，和《藏書十約》在性質相類似的文獻有明祁承㸁（1563－1628）的《澹生堂藏書訓略》和清孫從添（1691－1767）的《藏書紀要》。《澹生堂藏書訓略》從「購書」和「鑑書」兩方面闡述了澹生堂藏書的技術和經驗，從而建立起其藏書的理論方法體系，對後世起著頗為深遠的影響。清代學者周中孚（1768－1831）指出：「（此約）雖為子孫而設，實可為天下法。」㉕《藏書紀要》旨在為藏書同道弘宣其藏書技術經驗而編集的一部專著。該書從「購求」、「鑑別」、「鈔錄」、「校讎」、「裝訂」、「編目」、「收藏」、「曝書」八個方面，全面概要地總結了孫從添在藏書活動中的心得和收穫，是一部系統討論私家藏書管理技術的專著，使後人得以略

㉓ 高儒撰《百川書志》卷一前，葉德輝〈校刻百川書志序〉，見葉德輝等撰《觀古堂書目叢刻》冊 3（臺北：廣文書局，1972），頁 742。
㉔ 參閱本書〈葉德輝與藏書家和版本目錄學家之交往活動〉的討論。
㉕ 周中孚《鄭堂讀書記》卷三十二，見《清人書目題跋叢刊》冊 8（北京：中華書局，1993），頁 584。

窺清初私家藏書的堂奧。葉德輝撰著《藏書十約》之原委，是由於 1911 年辛亥革命爆發以後，葉德輝避居山中，思及歷代亂事，典籍蕩焉無存之現象，肯定保存文獻故物為表揚幽潛之主要途徑，「因舉歷年之見聞，證以閱歷之所得」，撰述《藏書十約》一書，「以代家書」，好讓其「子孫守之」，翔實地討論圖書收藏的十大問題。另一方面，葉德輝撰著此約是直接得自於《藏書紀要》的啟發。葉德輝在《藏書十約》中高度評價了《藏書紀要》，認為該書「詳論購書之法與藏書之宜，以及宋刻名抄何者為精，何者為劣，指陳得失，語重心長。洵收藏之指南，而汲古之修綆也。」然而，隨著時代的不同，藏書技術和內容都有了新的變化，因而《藏書紀要》中所討論的一些問題已不合時宜，故有修訂和增省的必要。[26]葉德輝乃在《藏書紀要》的基礎上，根據需要，略加變易了《藏書紀要》中的篇目，即設為購置、鑑別、裝潢、陳列、抄補、傳錄、校勘、題跋、收藏、印記等。它涉及了藏書管理的各種細節問題，如圖書採購、選書依據、購書程式、版本鑑定、圖書收藏、圖書裝訂、圖書流通、圖書保管、圖書維護、圖書校勘等等。通過《藏書十約》，不僅可窺探到葉德輝平日整理典籍的方法，同時也給後人留下一部可資參考借鑑的古籍整理指南。

葉德輝也利用藏書編制藏書目錄和讀書題跋。前者有《觀古堂藏書目》，編制此一書目之動機主要是在志一生精力之所在、縷

---

[26] 葉德輝《藏書十約》，葉德輝〈藏書十約序〉，見《葉德輝集》冊 2，頁 20。

述先世家學及生平所歷之境。在光緒二十七、八年（1901－1902）間，葉德輝即已著手編訂，於辛亥革命期間予以重編；爾後因續有收藏，因而陸續修正，於 1916 年正式付刊。全書凡四卷，卷一經部十三類、卷二史部十二類、卷三子部十四類、卷四集部六類，為四部四十五類，共計著錄藏書五千一百四十八種，其分類方式具見凡例。此目「於一切宋元刻本、名校舊抄，大半載而未盡，然明以來精刻善本則詳錄靡遺。」葉德輝以為「此目可以補正張文襄《書目答問》之缺誤，亦足備《清史·藝文志》之史材。」㉗《觀古堂藏書目》可使我們窺探到葉德輝藏書的主要內容與數量。但是，《觀古堂藏書目》自 1916 年付刊後就再也沒有增訂，故之後到葉德輝逝世前這十一、二年期間所得之書無從掌握。因此，我們無法通過《觀古堂藏書目》得出觀古堂藏書的正確數字。若要更加精確地得出觀古堂的藏書約略數字，非得借助葉德輝的另一部較《觀古堂藏書目》為遲的目錄學著作《郋園讀書志》。《郋園讀書志》是葉德輝生平讀書所作題跋之彙集。葉德輝治學的方法之一是作題跋。他認為：「凡讀一書，必知作者意旨之所在；既知其意旨之所在矣，如日久未之溫習，則必依稀惝怳，日知而月忘，故余於所讀之書，必於餘幅筆記數語。或論本書之得失，或辨兩刻之異同，故能刻骨銘心，對客瀾翻不竭。」㉘因此，葉德輝「每得一書，必綴一跋，或校其文字之異

㉗ 葉德輝《觀古堂藏書目》，葉啟倬，葉啟慕〈跋〉，見《葉德輝集》冊 4，頁 156。

㉘ 葉德輝《郋園讀書志》卷一前，劉肇隅〈《郋園讀書志》序〉，見《葉德輝集》冊 3，頁 1－2。

同，或述其版刻原委，無不纖細畢詳」。[29]葉德輝為免兵燹之後，藏書不保，促子侄將平日收藏之題跋依序抄出，子侄從 1916 年開始編撰，至 1926 年編定，1928 年於上海刊印。全書十六卷，依四部分類排列。卷一、二為經部凡九十六種，卷三、四為史部凡九十七種，卷五、六為子部凡一百二十六種，卷七至十六是集部凡三百八十九種，總共七百零八種。撰寫體例參考晁公武《郡齋讀書志》、陳振孫（？－約 1126）《直齋書錄解題》之體式。其著錄方式異常完備，不只書名、卷數、著者、版本非常翔實，即連行款、邊欄、書口、字體、印紙、藏書印記、牌記、序跋等均不放過。葉德輝以為「各家藏書題跋日記，於宋元佳處，已詳盡靡遺」，觀古堂雖也藏有宋元舊槧，但他無意置論，對「明刊近刻他人所不措意者」，則「亟亟為之表彰」，他以為此書可為「他日續修《四庫全書》之藍本也」。[30]同時，在內容的取材上能表彰明刊近刻，不同於其他諸家之著力於宋元。結合《郋園讀書志》和《觀古堂藏書目》著錄的資料，剔除重複部分，對觀古堂藏書的種數、部數及卷數進行統計，我們可得出觀古堂藏書的約略數字。

---

[29] 葉德輝《郋園讀書志》卷十六後，葉啟發〈《郋園讀書志》跋〉，見《葉德輝集》冊 3，頁 420。

[30] 葉德輝《郋園讀書志》卷十六後，葉啟崟〈《郋園讀書志》後序〉，見《葉德輝集》冊 3，頁 418。

對張之洞的「欲求不朽者，莫如刊佈古書一法」㉛之說，葉德輝至為贊成。為使古籍能廣為流傳，葉德輝往往就其藏書中，選擇未經傳刻或罕見之本，一一予以刊行。其「所著及校刻者凡數十百種，多以行世」㉜。其刻書多以「葉氏觀古堂刊」、「葉氏郎園刊」、「長沙葉氏刊」署名。㉝涉及的範圍包括經學、史學、遊藝、小學、版本目錄學以及家集等等。除刊行單行本外，亦有不少叢書行世，有《觀古堂書目叢刻》十五種、《觀古堂彙刻書》十三種、《雙梅影闇叢書》十七種、《麗廔叢書》九種等。

私人藏書散佚的原因不外有四：毀於兵燹、毀於水火、子孫不肖、書禁之厄。學者指出，觀古堂藏書之散佚，主要是兵燹和子孫不肖所致。㉞葉德輝死後，葉德輝家人倉皇出走避難，無暇顧及觀古堂的珍藏。家中藏書、金石、字畫、古銅、遺稿、金銀珠寶、衣服器具等之要件，均遭搶劫。㉟待亂事平定後，其侄葉

㉛ 張之洞《書目答問》，〈勸刻書說〉（臺北：新文豐出版公司，1974），頁 110。

㉜ 汪兆鏞《碑傳集三編》卷四一，〈文苑六〉，許崇熙〈郎園先生墓誌銘〉，見周駿富輯《清代傳記叢刊》第 126 冊（臺北：明文書局，1985），頁 509。

㉝ 葉德輝刻書之細目，可參閱王逸明、孫有東、劉海翼等整理〈郎園出版書目之一：郎園生前出版單書詳目〉，見《葉德輝集》冊 1，頁 24－39。

㉞ 蔡芳定《葉德輝觀古堂藏書研究》，頁 35－39。

㉟ 王逸民〈葉德輝年譜簡編〉，見《葉德輝集》冊 1，頁 54。

啟勳回觀古堂檢驗藏書後，發現其中藏書「散佚者十之三四」。[36]後經友人疏通，有少數書稿發還。葉德輝的其中一個兒子也在葉德輝過世後沉迷賭博，竟將葉德輝四十年心血所寄之藏書押注而光。[37]豪賭之外，不肖子孫為了生計，竟然將葉德輝的部分藏書變賣。[38]1937 年，葉德輝部分遺藏由其子啓倬（1889－？）、啓慕（1891－？）售與日人山本，現藏日本。[39]

觀古堂藏書散佚之後流落何方？據近人蘇精研究，葉德輝矜誇天下第一的《韋蘇州集》為周越然的「言言齋」所得，其他收羅較多者則為葉德輝之侄葉啟勳和莫伯驥（1877－1958）。[40]葉啟勳幼承家學，性喜聚書，十餘年之中，聚十萬卷有奇，凡觀古堂所無者，輒以重值得之。觀古堂藏書散佚之後，葉啟勳計劃逐次

---

[36] 葉啟勳《拾經樓紬書錄》中，跋海昌吳氏鈔本《默記》一冊，頁 28 上。

[37] 蘇精《近代藏書三十家》（臺北：傳記文學出版社，1983），頁 40。

[38] 葉啟勳《拾經樓紬書錄》下，跋明崇禎六年寒山趙氏仿宋本《玉臺新詠》十卷，頁 64 上。

[39] 王逸民〈葉德輝年譜簡編〉，見《葉德輝集》冊 1，頁 54。實際上，葉德輝在身前已有「有子且若無子」慨嘆，他說：「余生三子，長子杞兒最聰慧，六歲而殤，是久已無子矣。次子啟倬，類有心疾，於著衣喫飯生子外終日魂魄無所歸宿，余早視為廢人，待其就木。三子啟慕，年逾而立，靦腆若處子，令其見賓客，局促如鍼氈。」對啟倬和啟慕不抱任何期望。見葉德輝〈郋園六十自敘〉，見《葉德輝集》冊 2，頁 135。

[40] 蘇精《近代藏書三十家》，頁 40。

購回，[41]因而葉德輝觀古堂部分秘本又得以失而復得，葉啟勳對保存觀古堂舊藏的貢獻可說是居功至偉。至於為莫伯驥所收穫者，則包括《周易玩解》十六卷、《儀禮集說》十七卷、《漢書》一百三十卷、《南嶽總勝集》三卷、《緯略》十二卷、《廣川書跋》十卷、《辛稼軒詞》十二卷、《元人十種詩集》五十卷等。[42]

葉德輝一生雅好藏書，日以搜集書籍為樂。對所藏典籍，皆能細心維護，整理分類，編撰書目書志，刊佈傳世，善加利用。後其藏書雖因兵燹及子孫不孝，導致部分藏書散佚。但大體而言，觀古堂藏書一如其他私家藏書能保存圖籍傳留後世。因此，其在私家藏書史上的地位是應予以肯定的。

---

[41] 葉啟勳《拾經樓紬書錄》中，跋明秦氏雁里草堂抄本《廣川書跋》十卷，頁5下。

[42] 蔡芳定《葉德輝觀古堂藏書研究》，頁38－39。

參、葉德輝的版本目錄學工作探析

葉德輝大半生從事版本目錄學工作，其觸角可以說是廣闊的。一般藏書家和版本目錄學家都把工作局限在編制藏書目錄以及撰寫讀書題跋，葉德輝也進行這些工作，但卻不滿足於此，進一步把工作範圍擴大到書史研究、古代藏書管理經驗的總結以及前人書目的刊刻、訂正和考證等等。

一、藏書目錄的編制和讀書題跋的撰寫

葉德輝曾為其豐富典藏編撰藏書目錄，成《觀古堂藏書目》（以下簡稱《觀目》）。同時，於平日每得一書，往往撰以題跋，後子侄將這些題跋彙輯成《郎園讀書志》。

光緒二十七、八年間（1901－1902），葉德輝著手編訂藏書目錄。辛亥革命期間，葉德輝避居湘譚朱亭山中時，將之予以重編；爾後因續有收藏，因而陸續修正，於民國五年（1916）付刊。葉德輝編印此一書目的動機，一為「志一生精力之所在」，二為「縷述先世家學及生平所歷之境」。❶此目最大的特點是對明以來的精刻善本及清代刻本的載錄甚為詳悉，靡有遺漏。葉德輝對

❶ 葉德輝《觀古堂藏書目》卷一前，葉德輝〈觀古堂藏書目序〉，見《葉德輝集》冊 4（北京：學苑出版社，2007），頁 1。

此一書目期許甚高，以為不僅可以補正張之洞《書目答問》的缺誤，亦足以作為《清史· 藝文志》之文獻材料。❷

《觀目》全書凡四卷，卷一經部、卷二史部、卷三子部、卷四集部，共計著錄藏書五千一百四十八種、六千八百零三部、十一萬一千五百零一卷。四部下分四十五類，其中二十九類又各析若干子目；不再區分之十六類，或從撰人時代敘次為一類，或依從學術內涵、性質獨立為一類；諸家書目有分類欠妥者，則加以考核校正。❸

葉德輝的弟子劉肇隅在〈《郋園讀書志》序〉指出葉德輝平素治學謹嚴，用功特深，「凡讀一書，必知作者意旨之所在」，為免日久生疏，葉德輝常於自己所讀之書之餘幅筆記數語，「或論本書之得失，或辨兩刻之異同」，因而能發前人未發之蘊奧。❹民國五年（1916）左右，葉德輝擔心萬一兵燹之後，藏書不保，因而命其子侄將平日收藏各書之題跋抄出彙輯編撰成書。子侄於當年開始編撰，至民國十五年（1926）編定；葉德輝逝世後，子侄及弟子劉肇隅於民國十七年（1928）在上海將之刊印。

全書凡十六卷，分部依《觀目》的分類方式，採經、史、子、集排列順序。卷一、卷二為經部，凡九十六種；卷三、卷四

---

❷ 葉德輝《觀古堂藏書目》卷四後，葉啟倬，葉啟慕〈跋〉，見《葉德輝集》冊4，頁156。

❸ 關於《觀古堂藏書目》的分類體例的討論，可參閱蔡芳定《葉德輝觀古堂藏書研究》，頁71－78。

❹ 葉德輝《郋園讀書志》卷一前，劉肇隅〈郋園讀書志序〉，見《葉德輝集》冊3，頁1－2。

為史部，凡九十七種；卷五、卷六為子部，凡一百二十六種；卷七至卷十六為集部，凡三百八十九種，總共七百零八種。《郎園讀書志》體例上的特點，是「或論其著述之指要，或考其抄刻之源流，記敍撰人時代、仕履及其成書之年月，著書之大略」，「或辯論一書之是非，與作者之得失」❺。《郎園讀書志》著錄一書之內容異常完備，對於古籍著錄、古籍編目的專業人員來說，實為不可或缺之工作指南、參考工具書。

二、《書林》二話的撰著

在葉德輝的版本目錄學著述中，足以讓葉德輝名流後世的是《書林清話》(以下簡稱《清話》)。此書成於清末，幾經修改，於1920年刊行。

葉德輝《清話》的撰著，乃直接啟發於葉昌熾的《藏書紀事詩》。葉德輝對《藏書紀事詩》推崇備至，盛讚該書「於古今藏書家，上至天潢，下至方外、坊估、淮妓，搜其遺聞佚事，詳註詩中，發潛德之幽光，為先賢所未有」，以為葉昌熾之舉「甚盛德事也」。在褒揚的同時，葉德輝以為由於該書「限於本例，不及刻書源流與夫校勘家掌故」，以為這個缺略非得糾正過來不可。❻ 為此，葉德輝利用其豐富的收藏及生平閱歷之所得撰成《藏書十約》以補其缺陷，然由於《藏書十約》僅是大綱，有所未詳，於是乃於平日「檢討諸家藏書目錄題跋」時，信手予以記錄，「於刻

❺ 葉德輝《藏書十約》，〈題跋八〉，見《葉德輝集》冊2，頁24。

❻ 葉德輝《書林清話》卷一前，〈書林清話敘〉，民國庚申（1920）觀古堂刊本，頁1。

本之得失，鈔本之異同，撮其要領，補其闕遺。推而及於宋元明官刻書前牒文校勘諸人姓名，版刻名稱，或一版而轉鬻數人，雖至坊估之微，如有涉於掌故者，援引舊記，按語益以加詳」❼。經過一段時期的日積月累，這些隨筆「積久成帙，逾十二萬言，編為十卷」。這十卷隨筆，就是今天流傳於世的《清話》。❽

作為一部旨在補《藏書紀事詩》內容不足的著作，葉德輝嚴格地區別了《清話》和《藏書紀事詩》的論述內容。《藏書紀事詩》既是「唯採掇歷來藏書家遺聞軼事」，《清話》則側重於「鏤板緣始，與夫宋元以來官私坊刻三者派別」。全書以筆記形式討論中國古代雕版書籍的種種現象與問題及版本學方面的有關知識。對刻書之源流、書林之掌故、版刻之優劣，無不考論闡析。葉啟崟以為此書是考版本話遺聞者所當參考之工具書，是劉向《別錄》、劉歆《七略》、班固（32－92）《漢書·藝文志》、晁公武《郡齋讀書志》、陳振孫《直齋書錄解題》之外，別開蹊徑之作。❾繆荃孫亦盛讚《書林清話》具「紹往哲之書，開後學之派別」的價值。❿

---

❼ 葉德輝《書林清話》卷十後，葉啟崟〈跋〉，民國庚申（1920）觀古堂刊本，頁1。

❽ 葉德輝《書林清話》卷一前，葉德輝〈敘〉，頁1下。

❾ 葉德輝《書林清話》卷十後，葉啟崟〈書林清話跋〉，頁1－2。

❿ 葉德輝《書林清話》卷一前，繆荃孫〈書林清話序〉，頁1下。關於《書林清話》的成書與內容，及其影響與成就，可參閱蔡芳定《葉德輝書林清話研究》（臺北：文史哲出版社，1999）。

除了《清話》外，葉德輝又陸續撰成《書林餘話》(以下簡稱《餘話》) 二卷。《餘話》是《清話》的續編，於葉德輝身後（1928 年初）由其子葉啟倬印行於上海。該書傳世後，與《清話》素稱「書林二話」⓫。葉德輝在〈自序〉說明寫作《餘話》的動機：

> 余撰《清話》刻成後，以前所採宋、元、明人及近今諸儒說部、筆記涉於刻書之事者，未得編次收入。又己所論述為前所遺者，拉雜存之書簏，其中或有裨掌故，或足資談助，既不忍割棄，又不成條例。於是略事理董，分上、下二卷，名曰《餘話》，謂不足以續前話也。⓬

該序寫於 1923 年，很全面地概括了《餘話》的特點。確實，《餘話》兩卷含有不少「為前書所未有」的關於「歷代刻書掌故、瑣記」的文獻資料，但由於該書是葉德輝所遺的未定稿，又排印甚少，體例上也不盡合《清話》，所以其史料價值較少受人注意。

三、古代藏書管理經驗的總結

《藏書十約》一書記錄了葉德輝有關藏書管理技術的十大主張。在中國藏書史上，和《藏書十約》在性質相類似的文獻有明祁承㸁（1563－1628）的《澹生堂藏書訓略》和清孫從添（1691－1767）的《藏書紀要》；這兩種文獻都較葉德輝的《藏書十約》

⓫ 蘇精《近代藏書三十家》(臺北：傳記文學出版社，1983)，頁 40。

⓬ 葉德輝《書林餘話》卷上前，葉德輝〈序〉，民國十七年（1928）上海澹園刊本，頁 1。

早。《澹生堂藏書訓略》從「購書」和「鑑書」兩方面闡述了澹生堂藏書的技術和經驗，從而建立起其藏書的理論方法體系，對後世起著頗為深遠的影響。清代學者周中孚指出：「（此約）雖為子孫而設，實可為天下法。」⑬《藏書紀要》旨在為藏書同道弘宣其藏書技術經驗而編集的一部專著。該書從「購求」、「鑑別」、「鈔錄」、「校讎」、「裝訂」、「編目」、「收藏」、「曝書」八個方面，全面概要地總結了自己在藏書活動中的心得和收穫，是一部系統討論私家藏書管理技術的專著，使後人得以略窺清初私家藏書的堂奧。

1911 年，辛亥革命爆發以後，葉德輝避居山中，思及歷代亂事，典籍蕩焉無存之現象，肯定保存文獻故物為表揚幽潛之主要途徑，「因舉歷年之見聞，證以閱歷之所得」，撰述《藏書十約》一書，「以代家書」，好讓其「子孫守之」，翔實地討論圖書收藏的十大問題。⑭另一方面，葉德輝撰著此約是直接得自於孫從添《藏書紀要》的啟發。葉德輝在《藏書十約》中高度評價了孫從添的《藏書紀要》，認為該書「詳論購書之法與藏書之宜，以及宋刻名抄何者為精，何者為劣，指陳得失，語重心長。洵收藏之指南，而汲古之修綆也。」然而，隨著時代的不同，藏書技術和內容都有了新的變化，因而《藏書紀要》中所討論的一些問題已不合時宜，故有修訂和增省的必要。葉德輝乃在《藏書紀要》的基

⑬ 周中孚《鄭堂讀書記》卷三十二，見《清人書目題跋叢刊》冊 8（北京：中華書局，1993），頁 584。

⑭ 葉德輝《藏書十約》，〈藏書十約序〉，見《葉德輝集》冊 2，頁 20。

礎上，根據需要，略加變易了《藏書紀要》中的篇目，即設為購置、鑑別、裝潢、陳列、抄補、傳錄、校勘、題跋、收藏、印記等。臺灣學者趙飛鵬再根據其內容歸納為三個主題，即書籍的蒐集（包含購置、抄補、傳錄三項）、書籍的保護（包含收藏、裝潢、陳列、印記四項）與書籍的內容（包含校勘、鑑別、題跋三項），使其系統更加清楚。葉德輝的這十大主張，不僅反映葉德輝個人藏書經驗之精華所在，直至今日對圖書館仍具借鑑價值，例如「收藏」所談到的防蟲、防潮的方法；「傳錄」所說蒐集罕本、孤本，現在多採影印的方式，極爲便利。⓯有人指出，《藏書十約》和《澹生堂藏書訓略》、《藏書紀要》「是中國藏書史上三部時代大致連接的藏書技術經驗著作，是研究十七世紀以來中國私家藏書的極其珍貴的文獻史料。」⓰其說甚是。《藏書十約》可以說具有總結中國古代藏書管理技術的重大意義。

四、宋、明、清罕見書目之校刻

《觀古堂書目叢刻》（以下簡稱《叢刻》）是葉德輝考校刻印之書目叢書。葉德輝於光緒二十八年（1902）年初輯《觀古堂彙刻書》，中有書目四種，即《明南雍經籍考》二卷、《絳雲樓書目補遺》一卷、《靜惕堂書目》二卷和《結一廬書目》四卷。之後葉德輝陸續刻書，其中有不少書目的版行，至 1919 年乃將前後所刻

⓯ 趙飛鵬〈清代藏書學理論初探 — 以葉德輝《藏書十約》為例〉，見趙著《圖書文獻學考論》（臺北：里仁書局，2005），頁 211－229。

⓰ 徐雁、王燕均《中國歷史藏書論著讀本》（成都：四川人民出版社，1990），頁 503。

書目合為一叢書別行，是即《叢刻》。《叢刻》除包括《觀古堂彙刻書》初輯所收的四種外，又增出十一種，即《宋紹興秘書省續編到四庫闕書目》二卷、《古今書刻》二卷、《百川書志》二十卷、《萬卷堂書目》四卷、《徵刻唐宋人秘本書目》一卷附《考證》一卷、《孝慈堂書目》四卷、《佳趣堂書目》(不分卷)、《竹崦庵傳抄書目》一卷、《別刻結一廬書目》一卷、《求古居宋本書目》一卷、《潛采堂宋元人集目錄》一卷。合計書目十五種，凡四十八卷，內一種不分卷。⑰

葉德輝可以說是中國刻書史上刊刻書目最多的私人刻書家。據長澤規矩也《中國版本目錄學書籍解題》考察，以叢書名義校刻書目的私人刻書家除葉德輝《叢刻》外，尚有朱彝尊編《潛采堂書目》四卷，江標編《江刻書目》，王存善編《二徐書目》和陶湘編《陶氏編刊書目》等四家。《潛采堂書目》共收四種書目：《全唐詩未備書目》、《明詩綜採摭書目》、《兩淮鹽筴書引證書目》和《竹垞行笈書目》。《江氏書目》由《鐵琴銅劍樓宋元本書目》、《豐順丁氏持靜齋書目》和《海源閣藏書目》三種組成。《二徐書目》包括《傳是樓書目》和《培林堂書目》兩種。《陶氏編刊書目》由三冊組成，一冊收《清代殿版書目》、《武英殿聚珍版書目》、《欽定校正通志堂經解目錄》、《欽定石經目錄》、《昭仁殿天祿琳琅》、《五經萃室藏宋版五經》、《欽定文淵閣四庫全書目錄》、《濬藻堂四庫全書薈要目錄》；一冊錄《內府寫本書目》、《武英殿

---

⑰ 沈俊平〈葉德輝及其觀古堂書目叢刻〉，見《書目季刊》第34卷第1期(2000年12月)，頁22－32。

造辦處寫刻刷印工價並顏料紙張定例》；一冊包括《明吳興閔版書目》、《明毛氏汲古閣刻書目錄》、《附錄明代內府經廠本書目》。⑱就量而言，《陶氏編刊書目》雖可以和《叢刻》比美，但仍較《叢刻》少。《潛采堂書目》、《江刻書目》和《二徐書目》所校刊書目的種數，和《叢刻》比較起來就顯得相形見絀。

汪辟疆在《叢書之源流類別及其編索引法》中談到中國近代叢書的發展時，就曾指出這時期重視刊印專門之叢書，以目錄學叢書來說，「長沙葉氏之《觀古堂書目叢刻》」為這時期「叢書中之魁壘」。⑲張壽平在〈觀古堂書目叢刻敘錄〉評論《叢刻》的重要性說它「有助於吾人補訂史志、考證版本之事」⑳。

葉德輝校刊無利可圖的書目叢書的苦心，是為了使這些稀見和舊抄書目，以及經自己精心考證後的書目得以公諸於世，使有志於此道者受益。

五、對前人書目的訂補與考證

葉德輝曾對前人的書目進行了考證和訂補的工作，其中包括《書目答問》、《四庫全書總目》以及《求古居宋本書目》等，其中對《書目答問》的考證和訂補最爲重要。

---

⑱ 長澤規矩也編著，梅憲華、郭寶林譯《中國版本目錄學書籍解題》（北京：書目文獻出版社，1990），頁245－247。

⑲ 汪辟疆《叢書之源流類別及其編索引法》，見汪著《目錄學研究》（臺北：文史哲出版社，1990），頁101。

⑳ 張壽平〈觀古堂書目叢刻敘錄〉，見《觀古堂書目叢刻》冊1（臺北：廣文書局，1972），頁1。

《書目答問》是一部指引治學門徑的目錄。該書於同治十三年（1874）張之洞任四川學政時，在繆荃孫、章壽康等人的協助下開始編著，並於光緒二年（1876）編成刊行，共選書二千餘種。這部書目旨在告知學人「應讀何書，書以何本為善」㉑。這部書目於每部書名下，註明作者姓名、版本出處、卷數異同，並擇取重要者酌加按語，所以在指示讀書門徑，了解古籍版本方面有一定用處。葉德輝在《郋園讀書志》中，曾稱讚這部書目「不倍於古，不戾於今，大體最為詳慎」㉒，認為它「提綱挈要，截斷眾流」，「實有復古救時之功」㉓。

由於這部書目於指導讀書門徑有重大作用，故葉德輝經常隨身攜帶著巾箱本《書目答問》。經過長時期研治，葉德輝發現此目有不少闕誤：（1）所載版本，大多已絕版；（2）各書下註載原刻本或通行本，乃共同之辭，其書究為何時何人所刊行，無法得知；（3）偶載元號，又不記年月歲名；（4）版本著錄不詳。㉔

為了使這部指導讀書門徑的推薦書目的價值得以「復活」，使書目中的訛誤得以糾正，以及使書目中所著錄的圖書更符合當時

㉑ 張之洞《書目答問》，張之洞〈書目答問略例〉（臺北：新文豐出版公司，1974），頁1上。

㉒ 葉德輝《郋園讀書志》卷四，跋原刻初印本《書目答問》不分卷又一部，見《葉德輝集》冊3，頁104。

㉓ 葉德輝《郋園讀書志》卷四，跋原刻初印本《書目答問》不分卷又一部，頁104

㉔ 葉德輝《郋園讀書志》卷四，跋原刻初印本《書目答問》不分卷又一部，頁105。

的出版情況，便於學子求書，葉德輝耗費了後半生的心血對這部書目進行補闕訂訛的工作。其成果就是〈書目答問斠補〉與〈校正書目答問序〉，然這兩篇文章在他身後才刊印於世。

〈書目答問斠補〉刊於 1932 年 4 月《江蘇省立蘇州圖書館館刊》第 3 號。據該刊編輯陳子彝說：該文是「王佩諍據郎園手訂本所過錄者，其斠補處為丹書旁注」，刊印時為便於印刷，將斠補之文改列行間，易為墨書，而附以小規，「至原書類目及無關補注之書目版本，則從省略，以節篇幅」。㉕

葉德輝所做之「斠補」工作，主要有二：一是補正刻書時間或刻書人姓名；二是增列善本、鑑別版本之優劣或指出版式之異同。㉖葉德輝指出由於書籍繁多，「藏書者不能盡收，讀書者不能遍閱」，即使像繆荃孫、張之洞那樣以「博覽」著稱，「亦有蓋闕之疑，此固不必為之諱言者」㉗。經葉德輝的補正後，使得《書目答問》所著錄的圖書的刻書時間或刻書人的姓名更為清晰，同時也增列了不少善本、時刻，使得這部指導讀書門徑的書目獲得重生，更具時代性，按目求書時的收益更大，其作用得到更全面發揮。

㉕ 葉德輝〈書目答問斠補〉，見《葉德輝集》冊 4，頁 162。

㉖ 杜邁之、張承宗《葉德輝評傳》(長沙：岳麓書社，1986)，頁 91－92。

㉗ 葉德輝〈書目答問斠補〉，見《葉德輝集》冊 4，頁 253。

〈斠補書目答問序〉於 1934 年 6 月刊於《國是論衡》第 3 期。㉘葉德輝說：「張文襄《書目答問》，海內風行已四、五十年矣。」他發現張之洞「在四川學政任內初刻印本，疏漏甚多。採錄之書，亦未足為定論。其後屢經修補剜改，或抽換板本，至於一再重刻，故出入詳略，前後大有異同。」㉙對於初、後印本的「異同」，葉德輝作了詳細的比較，在〈斠補書目答問序〉中分列以下各種情況：

(1)有初刻本列入正錄，後印本低一格，移入附錄者。

(2)有初刻本列入附錄，後印本移入正錄者。

(3)有初刻本列入小注，後印本升入正錄者。

(4)有初刻本列入正錄，後印本附入小注者。

(5)有初刻本列入正附錄，後印本刪去者。

(6)有初刻本未錄，後印本補錄者。

(7)有初刻本入此類，後印本改隸別類者。

葉德輝在該文也舉例指出《書目答問》所存在的「誤題撰人」「誤記刻書年月」、「誤載刻人」等錯誤。㉚葉德輝對《書目答問》初、後印本的校正，有助於人們了解初、後印本差異。

除了對《書目答問》進行校補的工作外，葉德輝對《四庫全書》所收圖籍亦曾做過考證的工作，並打算依經、史、子、集四部把考證後的結果通過文字撰著成《四庫全書總目板本考》一

㉘ 葉德輝〈斠補書目答問序〉，見《國是論衡》1934 年第 3 期，頁 1－6。

㉙ 葉德輝〈斠補書目答問序〉，見《葉德輝集》冊 4，頁 157。

㉚ 葉德輝〈斠補書目答問序〉，頁 157－162。

書。李肖聃《湘學略·郎園學略》述及葉氏有《四庫全書總目板本考》一書，共二十卷。[31]劉肇隅在〈郎園四部書敍錄〉討論此書的內容說：

> 是書專考《四庫》著錄之書，自宋以來刻板始末，群從分纂，吾師總其成，較之邵懿辰《標註四庫全書簡明目錄》、莫友芝《知見傳本書目》於刊書年月甲子及刻書姓名，以藏書家目錄題跋考之，尤為完備。近日邵、莫二家之書，皆有刻本、活字印本行世，然其疏漏偽舛不免貽誤後學，則此書之成，固談目錄者之鴻寶矣。[32]

劉肇隅在此書書名下註明「俟刻」，故相信此書在葉氏身前已完成，惜未及出版已身故。目前僅見〈元私本考〉一文。這篇遺著在 1930 年分四期刊載在《國立武漢大學文哲季刊》，篇名下注明這篇文章為「四庫版本考之一」。[33]

對黃丕烈的《求古居宋本書目》，葉德輝也進行了考證的工作。《求古居宋本書目》是黃丕烈所撰自藏宋本書目，據黃氏自題說：「《百宋一廛賦》後所收俱登此目。內有賦載而已易出者，茲目不列。壬申季冬復翁記。」[34]按《百宋一廛賦》成於嘉慶九年

---

[31] 李肖聃《湘學略》，〈郎園學略第二十二〉（長沙：岳麓書社，1985），頁 216。

[32] 劉肇隅編〈郎園四部書敍錄〉，見《葉德輝集》冊 1，頁 8。

[33] 葉德輝〈元私本考〉，見《葉德輝集》冊 4，頁 261－279。

[34] 黃丕烈《求古居宋本書目》，封面自題，見《觀古堂書目叢刻》冊 8（臺北：廣文書局，1972）。

(1804),載宋本書一百二十三種;此目自題「壬申,為嘉慶十七年,內載宋本書一百八十七種」。在這個考證工作中,葉德輝主要是比較《求古居宋本書目》和《百宋一廛書賦》所載宋本書的異同,從而發現了「賦有目無」之書十一種,「目有賦無」之書七十五種。㉟葉德輝的這個工作的意義,是說明了在短短八年的時間裡,黃丕烈士禮居所藏宋本書在數量上的差異。

綜上所論,我們可以了解到葉德輝版本目錄學的工作所涉及的範圍是十分寬廣的。從編制藏書目錄、撰寫讀書題跋、研究書史、總結古代藏書管理經驗,到刊刻、訂補、考證前人書目,葉德輝大半生的精力可說就是花費於此。也因為他這份持之以恆的傻勁,才給後人遺留下豐富的版本目錄學遺產。

㉟ 黃丕烈《求古居宋本書目》,葉德輝〈求古居宋本書目考證〉,見《觀古堂書目叢刻》冊 8,頁 2215-2217。

肆、葉德輝與藏書家和版本目錄學家之交往活動

作為私人藏書家以及版本目錄學家的葉德輝非常重視私家藏書，他在校刊《百川書志》序中提出「私家之藏，所以補一朝館閣之闕略」❶的觀點。葉德輝「補闕」的藏書思想，告誡人們研治中國藏書史和版本目錄學時，也不可忽視私家之藏，否則所得結論所觸及的範圍只是「點」而不及「面」了。

從這一觀點出發，葉德輝與當時不少藏書家和版本目錄學家皆有交往，除了經常利用他們的藏書來補自己所缺以進行版本目錄學研究的工作外，也經常獲得藏書家的典籍饋贈或慷慨借鈔，豐富了觀古堂的收藏。除此，通過各種途徑（如書信）的交往，討論版本目錄學研究的心得。凡此種種，於葉德輝版本目錄學研究的功力的日益提升有著重大的作用。本篇試舉幾個在當時和葉德輝有交往的藏書家和版本目錄學家的事蹟來說明此點。

---

❶ 高儒撰《百川書志》卷一前，葉德輝〈校刻百川書志序〉，見《觀古堂書目叢刻》冊3（臺北：廣文書局 ，1972），頁742。

一、繆荃孫（1844－1919）

繆荃孫，字炎之，一字筱珊，號藝風，晚稱藝風老人，江蘇江陰人。繆荃孫從少年開始即研治經史及考訂之學。他在張之洞視學四川期間，曾協助張之洞編《書目答問》。先後主講南菁書院、濼源書院、鍾山書院、龍城書院。後東渡日本考察學務，歸國後創辦江南圖書館、京師圖書館。其私人藏書極富，先後購藏600餘種善本，書籍10萬餘卷，藏書處名「藝風堂」、「聯珠樓」、「對雨樓」等。其主要版本目錄學著作有《藝風堂藏書記》、《續記》、《再續記》等。❷

葉德輝與繆荃孫經常有書信往來，葉氏往往通過書信向繆荃孫傾吐心事以及對時事的看法。特別是面對一些困境，無法拿定主意時，往往通過書信和繆荃孫磋商，徵求繆荃孫的意見，足見葉、繆二人之間交情的深厚。葉德輝在其中一封信函中曾說：

> 由於衣缽再傳，如親指授，故刻書、校書二事，自謂能習公之傳，不謂獎譽頻頻，謙懷善下，辱書再四，引以同方，若得親炙門牆，其成就就當不止此……湘中此事，無可共語者。葵園老人終是古文家，可以言文章著述，不可言考訂校勘。南皮相思相望，彼此十餘年；前歲匆匆寓鄂，接見光儀，然談文論史，多經濟家言，此為人有用之

❷ 繆荃孫的詳細生平，可參閱張碧惠《晚清藏書家繆荃孫研究》（臺北：漢美圖書有限公司，1991），頁4－72。

學，非吾輩占畢之儒所能窺其蘊抱。空山明月，所思古人，海內比鄰，想惟公與賤子耳。❸

通過以上文獻，說明葉、繆兩人的交情主要是建立在學術的交流上。葉德輝並以繆荃孫為師，以為「刻書」、「校書」二事，皆能得繆荃孫的真傳，可見繆荃孫對葉德輝的文獻學活動的影響。

繆荃孫曾為葉德輝所撰的《書林清話》寫序，說明兩人的交誼的深厚。繆荃孫在序言中盛讚葉德輝「精研經義、字學、輿地、文詞，旁及星命、醫術、堪輿、梵夾，無不貫通」，對葉德輝的學術成就的推崇備至。他評價《書林清話》:「仿君家鞠裳之《語石編》，比俞理初之《米鹽簿》，所以紹往哲之書，開後學之派別，均在此矣」。❹充分地肯定了這部書的學術價值。

通過葉德輝寫給繆荃孫的書信，發現葉德輝經常贈其所刊印的圖籍給繆荃孫，其中包括《石林燕語》、《石林燕語辨》、《岩下放言》等書。至於繆荃孫也禮尚往來，經常回贈葉德輝圖書，如《河南志》、《刑統賦》、《竹汀日記》、《雲自在龕叢書》等等。

葉德輝也經常向繆荃孫借書，以供重刊之用，如葉德輝見繆荃孫所著《藝風堂書目》中「列元本《畫像三教源流搜神大全》，又吾家《石林燕語》」，乃向繆荃孫洽商借印重刊。❺繆荃孫後來

---

❸ 顧廷龍校閱《藝風堂友朋書札》，葉德輝致繆荃孫函二（上海：上海古籍出版社，1981），頁535。

❹ 葉德輝《書林清話》卷一前，繆荃孫〈書林清話序〉，民國庚申（1920）觀古堂刊本，頁1。

❺ 顧廷龍校閱《藝風堂友朋書札》，葉德輝致繆荃孫函一，頁534。

把《石林燕語》借給葉德輝刊印，使這部書「從此流布海內」❻。葉德輝也曾向繆荃孫借《石林燕語辨》一書，後來繆荃孫連同《畫像三教源流搜神大全》一起借給葉德輝。《石林燕語辨》刻成後，葉德輝表示對繆荃孫的慷慨借刊深表感激，並向繆荃孫進一步查詢「石林遺書如《避暑錄話》、《石林詩話》及《石林詞》之類，公處有善本否？」❼。通過向繆荃孫的商借以及繆氏的不吝假借，使得葉德輝先祖葉夢得遺書得以重刊，傳佈於世。

此外，繆荃孫也曾充當葉德輝的中間人，代葉德輝向藏書家要求影抄典籍。在致給瞿啟甲（1873－1940）的一封信中說：「前托繆小老由尊處代抄《珞琭子賦》二種，抄貲已交小老轉繳，此時計已早登記室矣。」❽說明繆荃孫曾受葉德輝所托，向藏書家瞿啟甲要求影抄《珞琭子賦》二種，繳納工資的工作也由繆荃孫代辦。

在刊印圖籍前，葉德輝也經常向繆荃孫請示意見，如擬印《金文最補》前，葉德輝在「板式行格」上拿不定主意，乃向繆荃孫請示，徵求意見：「擬用公（繆荃孫）《藝風堂集》舊樣，以昭劃一，公謂如何？」❾葉德輝也常向繆荃孫請教典籍傳本問題，如他在尋找《避暑錄話》以刊印前，也曾向繆荃孫查詢該書

---

❻ 顧廷龍校閱《藝風堂友朋書札》，葉德輝致繆荃孫函三，頁 535。

❼ 顧廷龍校閱《藝風堂友朋書札》，葉德輝致繆荃孫函七，頁 538。

❽ 葉德輝《郋園山居文錄》卷下，〈與瞿良士借印四部宋元善本書啟〉，見《葉德輝集》冊 2，頁 120。

❾ 顧廷龍校閱《藝風堂友朋書札》，葉德輝致繆荃孫函二，頁 535。

在海內的傳本問題。⑩葉德輝發現《石林燕語考異》有誤字，也要求繆荃孫「條錄寄示，以便遵改」⑪。葉德輝擬刻《建康集》，發現其中缺六篇，知悉「常熟《瞿氏鐵琴銅劍樓藏本書目》云有之」，葉德輝乃懇請繆荃孫「介紹抄出」⑫。通過向繆荃孫這樣的大藏書家兼目錄學家的詢問以及學術觀點的交流，對葉德輝在版本目錄學的功力的提升肯定有很大的裨益。

葉德輝與繆荃孫的友情非常真摯，即使生活如何困頓，葉德輝始終掛念著繆荃孫。例如自大鬧坡子街後逃亡期間，葉德輝仍不忘以詩寄詠對繆荃孫的思念，其詩曰：

> 藝風堂裡富藏書，亂後倉皇失故居。
> 聽說移居來滬瀆，殘篇飽載幾牛車。⑬

詩中痛惜繆荃孫藝風堂藏書的散失，也同時寄寓了對友人安危的關懷。

二、葉昌熾（1849－1917）

葉昌熾，字鞠裳，號緣裻，江蘇長洲（今江蘇吳縣）人，祖籍浙江紹興。早年就讀正誼書院，光緒二年（1876）中舉，十五年（1889）進士，歷任國子監司業、翰林院侍講、甘肅學政。葉

---

⑩ 顧廷龍校閱《藝風堂友朋書札》，葉德輝致繆荃孫函四，頁 536。
⑪ 顧廷龍校閱《藝風堂友朋書札》，葉德輝致繆荃孫函六，頁 537。
⑫ 顧廷龍校閱《藝風堂友朋書札》，葉德輝致繆荃孫函十，頁 539。
⑬ 葉德輝《觀古堂詩集》，〈書空集〉，〈懷人〉，見《葉德輝集》冊 1，頁 152。

昌熾以「治廧室」名藏室，收藏吳中先哲遺書甚富。葉昌熾和蔣鳳藻（約 1838－1908）、潘祖蔭（1829－1890）以及鐵琴銅劍樓等關係甚密。其藏書在抗戰前後散佚，後人曾編《治廧室善本書目》一冊。葉昌熾生平著述豐富，撰有《庚子紀事詩》一卷，《史學講義》（稿本）、《滂喜齋讀書記》二卷等。尤以《語石》十卷、《緣督廬日記》和《藏書紀事詩》七卷為學林至寶。其中《藏書紀事詩》是中國藏書史上一部發凡起例的巨著，它反映了中國各代藏書家的藏書成就及其在文化學術上的貢獻，開闢了中國文化史研究的一個新領域，被譽為「書林之掌故，藏家之詩史」。⓮

葉德輝與葉昌熾之間互稱對方為「宗人」⓯。宣統二年（1910），葉德輝因長沙饑民暴動事件被清廷革去功名。次年五月初四，葉德輝到蘇州省墓，並與葉昌熾連宗。葉昌熾在其日記中記載了這次的會晤，說：

> 長沙宗人煥彬吏部，名德輝，精於流略之學，十五年不見矣。……今日忽有伻賫函來，言到蘇省墓，寓閶門外惠中旅館，約期良覿，即復一函，告以初五、六皆在舍，當埽徑瀹茗以待。贈《先石林公遺書》七冊，《石林燕語》二冊，附《汪應辰辨》一冊，《岩下放言》、《玉澗雜書》合一冊，《石林詩話》一冊，《避暑錄話》二冊，皆新槧尚精好

⓮ 來新夏主編《清代目錄提要》（濟南：齊魯書社，1997），頁 194。

⓯ 葉昌熾《緣督廬日記》，記十四，辛亥（1911）五月初四，見《中國史學叢書》第 5 種（臺北：臺灣學生書局，1964），頁 493。

篋藏。先集有《春秋考》,《建康集》,《石林詞》,《石林奏議》,得此所缺無幾矣。即以《語石》四冊報之。⑯

葉德輝在這次的會晤贈送予葉昌熾他校刊的多部家集,包括《石林燕語》、《岩下放言》、《玉澗雜書》、《石林詩話》、《避暑錄話》等做為見面禮,葉昌熾則以《語石》四冊回贈。葉德輝同時也與葉昌熾討論校刊葉夢得詩文、奏議之事宜,兼「以譜系相商榷」,與葉昌熾商訂修家譜的體例。⑰葉德輝回到上海後致信給葉昌熾,信中提出修譜的體例:「其例分四大綱,自石林公以上為前編,仿《通鑑》前編之例,雖無世次可考,疑以傳疑,存而不論;東西山正支為正編;蘇浙皖分支無世系可挂線者為外編;碑誌圖記、詩文之屬為別錄。」⑱針對葉德輝所提出的修譜的體例,葉昌熾認為「尚可從」。⑲對於修譜一事,葉德輝頗為熱心,據葉昌熾光緒二十二年(1896)八月初七日記記載:「煥彬本吾郡洞庭西山人,其祖游幕楚南,遂入湘譚,詢家譜甚殷,僕告以公楚籍,真吳人也,余吳籍真越人也。」⑳宣統二年六月廿九日,葉昌熾收到葉德輝從長沙寄來大批他所刻書籍,包括《觀古堂彙刻書》第一集十三種,第二集八種,《麗廔叢書》八種、《鬻子》、《郭氏玄中記》、《淮南鴻烈閒詁》、《淮南萬畢術》、《傅子傳》、

---

⑯ 同上注,頁 493。

⑰ 葉昌熾《緣督廬日記》,記十四,辛亥五月初六,頁 493。

⑱ 葉昌熾《緣督廬日記》,記十四,辛亥五月十四日,頁 493。

⑲ 葉昌熾《緣督廬日記》,記十四,辛亥五月十四日,頁 493。

⑳ 葉昌熾《緣督廬日記》,記七,丙申(1896)八月初七,頁 232。

《古泉雜詠》、《消夏百一詩》、《覺迷要錄》、《翼教叢編》等等，總共五十一冊，使葉昌熾感到「譜事愈不能息肩」。㉑

除了和葉昌熾討論修譜事宜外，葉德輝也曾與葉昌熾商量刊刻家集的計畫。葉昌熾在民國二年五月廿六日的日記記載了葉德輝曾向他提出「商刊吾宗橫山公《己畦集》、天寥先生《午夢堂全稿》」的要求。㉒

葉德輝和葉昌熾之間也經常交換自刻和自撰的書籍。除了宣統二年五、六月間葉德輝贈葉昌熾自刻和自撰的書籍，以及葉昌熾回贈與《語石》外，據葉昌熾光緒二十二年八月初七的日記的記載：「葉煥彬吏部德輝來談，贈所刻《沈下賢集》、《阮氏三家詩補遺》及所輯許氏《淮南閒詁》、《淮南萬畢術》各種。」㉓葉德輝在這次的會晤中，贈送葉昌熾所刻《沈下賢集》、《阮氏三家詩補遺》及所輯許氏《淮南閒詁》、《淮南萬畢術》各種。又據民國四年五月十四日葉昌熾的日記的記載，葉德輝曾贈葉昌熾《元朝秘史》十卷，《續》二卷，《嚴東有詩集》，以及自撰

㉑ 葉昌熾《緣督廬日記》，記十四，辛亥六月廿九日，頁497。

㉒ 葉昌熾《緣督廬日記》，記十五，癸丑（1913）五月廿六日，頁526。葉紹袁（1589－1648），字仲韶，別號天寥，明天啟進士，工部主事。葉燮（1627－1703），原名世倌，字星期，號己畦，又稱橫山先生，清康熙進士，寶應知縣。葉振宗，字印濂，為葉燮之九世從孫。兩人皆為葉德輝先祖。

㉓ 葉昌熾《緣督廬日記》，記七，丙申（1896）八月初七，頁232。

《藏書十約》,《遊藝卮言》等，葉昌熾則以自撰的《藏書紀事詩》回贈。㉔

葉德輝曾向葉昌熾透露對革命黨人所持態度：

> 煥彬自長沙到滬，午後來長談劫後事。自言與民黨為敵，前刊《翼教叢編》，鳴鼓而攻，無可規免，此時只能以戰為守，日與黨人鬨於里門，此言殆自誇，若果然者，何以免於今之世邪。㉕

以上文獻說明葉德輝採用「以戰為守」的策略與革命黨人為敵。

葉昌熾對葉德輝的行蹤狀況頗為留意，如葉德輝因長沙饑民暴動遭革職一事，葉昌熾在其日記中亦有記載：「閱邸抄鄂督瑞制軍、湘巡撫楊中丞特參，前國子監祭酒王先謙、分省補用道孔憲教均交部嚴議，吏部主事葉德輝、候選道楊鞏即行革職，交地方官嚴加管束。」可見葉昌熾對葉德輝的動向頗為留心。針對葉德輝遭革職一事，葉昌熾以為「非其（葉德輝）罪也」㉖。

對於葉昌熾的學術成就，葉德輝也推崇備至，以為其藏書可與繆荃孫藝風堂匹敵；對於葉昌熾的《語石》和《藏書紀事詩》，葉德輝曾題詩一首稱讚曰：「語石《藏書紀事詩》，即論談藝亦吾

㉔ 葉昌熾《緣督廬日記》，記十五，癸丑五月十四日，頁 525。

㉕ 同上註。

㉖ 葉昌熾《緣督廬日記》，卷十四，庚戌（1910）四月廿四日，頁 485。

師。」[27]葉德輝後來撰有《書林清話》，在很大的程度上是受《藏書紀事詩》的啟發而作的。

葉德輝和葉昌熾的交往，除了交換書籍和合作修譜的事宜外，相信他們之間亦有版本目錄學的交流。葉昌熾對書林掌故頗為熟悉，與志同道合的「宗人」交往時，應當會涉及有關方面的討論。通過與葉昌熾的討論，相信葉德輝從中應當頗有收益。

三、傅增湘（1872－1950）

傅增湘，字沅叔，一字淑和，號書濳，筆名清泉、逸叟，自號雙鑑樓主人、藏園居士，四川江安人，是近代藏書家、目錄學家和教育家。早年入保定蓮池書院學習，光緒進士，選庶吉士，散館授編修。他一生熱愛教育事業，先後創辦十餘所女子學校，任中央教育會副會長、內閣教育總長、大總統顧問、北京財政委員會委員長、故宮博物院管委會委員。1927 年任故宮圖書館館長、東方文化事業總委員會圖書籌備委員、東方文化協議會副會長等職。後來醉心於圖書收藏和版本目錄學研究。其搜書之勤、藏書之富、版本之精，為近代諸藏書家之首；僅其祖傳秘本、善本書就達六萬六千餘卷；因藏有宋元刊《資治通鑑》兩部，遂名其樓為「雙鑑樓」。北京新居建成後，又取蘇軾「萬人如海一身藏」之句，名「藏園」，園內書齋有「素抱書屋」、「長春室」、「池北書堂」、「萊娛室」等。1929 年編有《雙鑑樓書目》四卷，收書

---

[27] 葉德輝《觀古堂詩集》，〈浮湘集〉，〈壬戌感逝詩〉，見《葉德輝集》冊 1，頁 214。

一千兩百八十七種，三萬五千餘卷，僅宋刊本就達一百八十餘種，此外，《藏園群書題記初集》二十卷、《藏園群書經眼錄》四十餘冊和《藏園群書題記》等為其目錄學代表作。1947 年 7 月，捐獻了「藏園」群書中三百七十三部，四千三百餘冊給北平圖書館。逝世後，後人又先後無私地捐獻了部分藏書予北京圖書館。㉘

傅增湘在為葉德輝從子葉啟勳《拾經樓紬書》所寫的序中提及和葉德輝的交往時說：

> 長沙葉君定侯，余同年生，奐彬吏部之猶子也。吏部君碩學通才，以藏書名海內，所撰《書林清話》、《郋園讀書記》，於版本校讎之學考辨翔核，當世奉為圭臬。二十年來南北往還，賞奇析異，與余契合無間。㉙

根據以上文獻，說明傅增湘給予葉德輝所撰《書林清話》、《郋園讀書記》（應為《郋園讀書志》）極高的評價。該序也提及其與葉德輝有二十年往來的深厚交情；這份友誼，主要是建立在版本目錄學研究的交往上。葉、傅兩人經常向對方出示各自藏書中較為特殊的本子，分享對版本目錄學的看法，建立了深厚的默契。這種交往，擴增了彼此間對版本目錄學的更深一層認識。

此外，葉德輝也曾與傅增湘交換典籍。《郋園讀書志》卷五跋《石林避暑錄話》四卷載：

㉘ 李玉安、陳傳藝《中國藏書家辭典》（武漢：湖北教育出版社，1989），頁 313－314。

㉙ 葉啟勳《拾經樓紬書錄》，傅增湘〈長沙葉氏紬書錄序〉，見《書目叢編》第 16 種（臺北：廣文書局，1989），頁 2 下。

是書（即《石林避暑錄話》）傅沅叔同年得之於蘇州閶門，卷一首有石林後裔白文方印，光藻白文方印，末有潔甫朱文橢圓小印。卷二首有石林後裔白文方印，淡吟朱文圓印。卷末有潔甫藏物腰圓印。卷三末印同卷一。卷四有養性靈朱文長橢圓印，石林後裔白文方印。卷末有括囊硯主朱文方印，潔甫藏物腰圓中印。潔甫一名溱光，藻其原名，又字戟甫，括囊硯主亦其別號，以家藏有此硯也，世系為汾湖派三十一世，與調笙公為族兄弟行，此書乃其舊藏。沅叔不知其為何人，余告之，故始知之。適余有明嘉靖庚戌毗陵蔣氏刻六卷分體本《李義山詩集》，因請以相易，遂以此本歸余。㉚

根據以上跋文，知道傅增湘原本不知所藏《石林避暑錄話》四卷中的諸藏書印所指何人，葉德輝一一告之，說明葉德輝不吝於指導，傅增湘也因此受益。這裡也記載了葉德輝以《李義山詩集》與傅增湘交換《石林避暑錄話》之事。兩相獲益，皆大歡喜。

葉、傅二人在版本目錄學上雖建立了一定的默契，但偶爾也會因意見不同而發生爭執。傅增湘《雙鑑樓藏書續記》卷上記載了葉、傅兩人曾為《鹽鐵論》一書的版本問題的一場爭論：

憶曩年滬館商定《四部叢刊》版行時，余語張君菊生，此書莫善於藝風所藏，乃真涂刻，海內無第二本，最為珍

㉚ 葉德輝《郋園讀書志》卷五，跋明嘉興項德棻宛委堂校刻本《石林避暑錄話》四卷，見《葉德輝集》冊 3，頁 130－131。

> 秘，其餘紛紛號為涂刻者，皆正嘉間覆鋟耳。同年葉君奐彬起而抗爭，奮幾抵掌，以張刻為偽，以涂刻為偽，以藝風所藏真涂刻為非真，高睨大言，歷詆張古餘、顧澗蘋、繆藝風諸人皆為誤認，且謂彼輩皆受賈人紿。世間真涂本，惟吾家所藏孤帙耳。詢其藏本為何，則九行十八字，即余所斷為正嘉間本也。余反復駁詰，再三推證，堅持不易。其說菊生亦所劫持，於是竟捨繆本而用長沙葉氏藏本。余說既不售，為屏息私歎而已。今故人長往，青山白首，時動哀吟，即當日奪席雄潭辯論，齗齗回思，輒為腹痛，寧敢翹亡友之過以自矜。惟論學之道，要在心平；考證之途，必勤目涉，意氣固無所於爭，而是非終不欲曲。[31]

以上跋文記載了張元濟在決定刊行《四部叢刊》中《鹽鐵論》一書所採用的刊本時，曾向葉、傅兩人徵求意見。葉德輝主張採用明弘治刊本，傅增湘則建議採用繆荃孫所藏涂刻本，後來張元濟採納了葉德輝的建議，傅增湘對張元濟捨繆本而取明弘治本《鹽鐵論》的決定感到無可奈何。但是，最為傅增湘所不服氣的，是葉德輝的意氣用事。傅增湘在此跋中花費了頗長的篇幅來論證繆本為真涂本，指出弘治、正德、嘉靖以來的刊本乃據繆本刊刻，並多方面指出葉德輝考證上的謬誤。[32]

傅增湘最後批評葉德輝的版本目錄學時說：

---

[31] 傅增湘《雙鑑樓藏書續記》卷上，見《書目三編》（臺北：廣文書局，1969），頁 59－60。

[32] 傅增湘《雙鑑樓藏書續記》卷上，頁 60－65。

縱而論之，葉氏於板刻本無真鑒之力，故同一習見之正嘉間本也，在丁氏則以宋刻目之，在己藏則以涂刻目之。根源既誤，見張刻之不同，則力詆張、顧之改易行款，以堅其說。蓋緣生平未得見涂本也。及藝風以真涂本示之，則又妄稱為倪本，以飾其非。今涂本、正嘉本、倪本、張本皆並儲吾篋中，因為詳著源委，以告後人。俾知凡學問之道，要以實驗為真，無假空言以取勝也。㉝

傅增湘給予葉德輝「悍然武斷」，徒以「空言取勝」的嚴厲批評，可能是由於張元濟沒有採納他的建議，取用繆本刊行，傅增湘咽不下這口氣，一時的氣話而已。這是因為傅增湘對葉德輝的《書林清話》和《郎園讀書志》一向推崇，若他堅持葉德輝於治學「悍然武斷」，又「空言取勝」，就不可能對《書林清話》和《郎園讀書志》這兩部版本目錄學著作推崇備至了。

四、莫棠、丁惠康（1868－1909）

莫棠，字楚生，莫友芝（1811－1871）從子，也以藏書和版本目錄之學聞名，生平不傳。和前述的藏書家和版本目錄學家比較起來，莫棠的藏書與版本目錄學活動鮮為人所重視，有關他的記載少之又少。莫棠有目錄學著作兩種：《文淵樓藏書目錄》和《銅井文房書跋》各一冊。前書扉頁有「獨山莫氏所藏書，今於揚州」等字樣，由此目可考見莫氏的藏書梗概；後書乃陳乃乾（1896－1971）所輯，共輯莫棠所寫藏書題跋八十八篇。每篇述

㉝ 傅增湘《雙鑑樓藏書續記》卷上，頁65。

著者的生平，得書的過程，及莫友芝與時人的交往，隨筆所記，毫無雕琢，可資研究莫氏叔侄藏書掌故者參考。[34]

關於丁惠康的生平，可見於《中國藏書家考略》的記載：

> 丁惠康，字叔雅，清風順人，丁日昌子。好古琴、宋本書、鈔本書，為光緒中葉之名流。生於同治七年，卒於宣統元年。[35]

丁日昌（1823－1882）是清末廣東大藏書家，字禹生，一作雨生，號持靜。以其號名其藏書樓。丁日昌去世後，其藏書歸其子丁惠康所有。丁惠康初尚能守業，後藏書在其手中散失。光緒十二年（1866）江標在《豐順丁氏持靜齋書目題詞》中指出：「聞所藏書已有出者」。光緒三十三年（1907）廣東藏書家倫明在搜訪持靜齋藏書時，發現「書已盡矣」。[36]葉德輝跋丁氏持靜齋藏鈔本《靜惕堂書目》載：「叔雅物故後，藏書四散。壬子、癸丑間，往往流入滬市，多為估人販鬻而去。」[37]葉德輝和丁惠康交往甚密，謂物故而方散出，是為友諱也。據袁同禮說，持靜齋藏書大部分輾轉歸上海涵芬樓收得，一部分被日本書商輦送東去，一部

---

[34] 鄭偉章《莫友芝的藏書和目錄學》，見鄭著《書林叢考》（廣州：廣東人民出版社，1995），頁 128，138－139。

[35] 李玉安、陳傳藝《中國藏書家辭典》，頁 6。

[36] 嚴佐之《近三百年古籍目錄舉要》（上海：華東師範大學出版社，1994），頁 135－137。

[37] 葉德輝《郎園讀書志》卷四，跋丁氏持靜齋藏鈔本《靜惕堂書目》，頁 100。

分轉至廣東藏書家李文田（1834－1895）、莫伯驥（1878－1958）書樓。

葉德輝在跋《書目答問》時曾提及他和莫棠以及丁惠康的交情說：

> 余為學丞門下門生，回蘇寓吳門與子偲從子楚生太守棠往來甚密，又識伯絅太史，故於三家先德撰述始末聞之最詳。禹生中丞次公子樹雅茂才惠康亦三十年前舊好，行篋中攜有宋元舊版十數部，均有莫氏題記印章。中丞《持靜齋書目》所載宋元明刻本固多，而時刻亦併入載，可知當日子偲先生所見舊刻、新刻眾本兼收中丞書目，故沆瀣一氣也。滄桑亂後，文物蕭條，回首前塵宛如昨日，諸先生故事，不啻親見之而親聞之。異日有好事者偶錄之筆記中，亦書林一重公案云。㊳

此跋記載了葉德輝與諸藏書家後裔的交情，其中包括莫友芝之從子莫棠、丁日昌之子丁惠康以及邵懿辰（1810－1861）之嫡孫邵章。

莫棠與葉德輝的關係頗佳，往來頗為頻繁。其交遊事蹟，可見於《郋園讀書志》和《郋園山居文錄》。葉德輝是莫棠藏書處的常客，《郋園讀書志》卷五跋《墨子》十五卷載：「又在蘇城莫楚

㊳ 葉德輝《郋園讀書志》卷四，跋原刻初印本《書目答問》又一部，頁 106。

生觀察家見所藏者，亦即此本。序跋俱全是。」[39]此處載葉德輝在莫棠藏書處見到明江藩白賁衲重刻唐堯臣本《墨子》十五卷。《郎園山居文錄》卷上〈明宋學士文粹跋〉載：「是書（即《宋學士文粹》）為吾友莫楚生觀察所藏，出以共賞，並出《續文粹》十卷，亦汪、潘二家舊藏。」[40]又〈明宋學士續文粹跋〉載：「今並前《文粹》同歸吾友莫楚生觀察。觀察藏書故家，性愛舊本書籍，物聚所好，其信然矣。」[41]以上兩處載葉德輝在莫棠藏書處見到《宋學士文粹》和《續文粹》。

葉德輝也經常向莫棠借鈔其藏書，《郎園讀書志》卷五跋《墨子》十五卷載：「此本刻印至精，新若手未觸者，缺十三、十四、十五卷，從莫楚生藏本補鈔完全。」[42]此處載葉德輝向莫棠借鈔明江藩白賁衲重刻唐堯臣本《墨子》十五卷。又如卷五跋《石林避暑錄話》四卷載：「獨山莫楚生觀察藏有明弘治中舊鈔本，即錢遵王《讀書敏求記》中題稱《乙卯避暑錄》之本也，並擬影寫一

---

[39] 葉德輝《郎園讀書志》卷五，跋明江藩白賁衲重刻唐堯臣本《墨子》十五卷，頁 124。

[40] 葉德輝《郎園山居文錄》卷上，〈明宋學士文粹跋〉，見《葉德輝集》冊 2，頁 109。

[41] 葉德輝《郎園山居文錄》卷上，〈明宋學士續文粹跋〉，頁 109－110。

[42] 葉德輝《郎園讀書志》卷五，跋明江藩白賁衲重刻唐堯臣本《墨子》十五卷，頁 125。

本藏之。」㊸這裡記載莫棠藏有明弘治中舊鈔本《石林避暑錄話》，葉德輝打算向莫棠借鈔藏之。

莫棠也曾以藏書相讓，據《郋園讀書志》卷五跋《繪圖烈女傳》八卷載：

> 余藏有此書，不知何時失去。在蘇州寓中，莫楚生觀察來訪，偶爾談及是書刻本之善，惜不在遇。觀察云彼曾藏有二部，可以其一相讓，因檢此見贈，良友之惠，不可忘也，書記冊首，子孫其永寶之。㊹

此處記載莫棠將所藏嘉慶丙辰顧氏小讀書堆刻本《繪圖烈女傳》八卷讓予葉德輝。

至於丁惠康與葉德輝的交遊，可見於《郋園讀書志》的記載。葉德輝跋《絳雲樓書目》二冊不分卷載：「今揭陽丁氏持靜齋有其本，即禹生中丞所得汲古閣本也。世兄叔雅茂才同寓都門，出以見識，余以粵雅本校之。」㊺通過此跋，知道丁惠康曾向葉德輝出示其家藏舊鈔本《絳雲樓書目》二冊，葉德輝以粵雅本校之。舊鈔本《絳雲樓書目》附有《靜惕堂書目》，亦為丁氏所藏，葉德輝在跋《靜惕堂書目》中亦有提及：

㊸ 葉德輝《郋園讀書志》卷五，跋明嘉興項德棻宛委堂校刻本《石林避暑錄話》四卷，頁 131。

㊹ 葉德輝《郋園讀書志》卷五，跋嘉慶丙辰顧氏小讀書堆刻本《繪圖烈女傳》八卷，頁 117。

㊺ 葉德輝《郋園讀書志》卷四，跋舊鈔本《絳雲樓書目》二冊不分卷，頁 100。

舊鈔本《絳雲樓書目》書名下有硃筆小注，末附曹溶《靜惕堂宋元人集目》，向藏揭陽丁禹生中丞持靜齋。光緒丁酉中丞世兄叔雅茂才攜至都門，邀余品題。據中丞手編書目謂為陳景雲校勘原本，余不欲拂其意，故前跋云云，其實非也。㊻

以上跋文記載丁惠康於光緒二十三年（1897）曾向葉德輝出示家藏《靜惕堂書目》。

除了和以上五位藏書家和目錄學家往來外，和葉德輝頗有交情的藏書家還包括王先謙、張元濟㊼、江標、端方、潘祖蔭、瞿啟甲等等。

以上的討論說明葉德輝與當時不少藏書家交往，其中不少藏書家如莫棠、丁惠康等嚴格說來僅是「小」藏書家。然而，這些「小家」在藏書數量方面雖無法和大藏書家如張元濟、傅增湘、繆荃孫等比美，但他們的收藏中也有不少是大藏書家的漏網之魚，故他們的藏書價值也是不容忽視的。特別是莫棠和葉德輝的交情較之葉德輝與其他大藏書家的交情來得深厚，這可從他無私的允許葉德輝參觀其藏書，並不時贈書、借書給葉德輝得到證明。

㊻ 葉德輝《郋園讀書志》卷四，跋丁氏持靜齋藏鈔本《靜惕堂書目》，頁 100。

㊼ 關於葉德輝與張元濟的交往情況，可參閱本書〈葉德輝與《四部叢刊》〉的詳細討論。

總的說來，通過向藏書家借鈔書籍以及和藏書家之間交換書籍的活動，大大豐富了葉德輝觀古堂藏書的品質，這是觀古堂藏書之所以能夠成為晚清其中一個重要私人藏書樓的因素。除此，通過參觀各大小私人藏書樓也大大開闊了葉德輝的眼界，豐富了葉德輝的典籍知識，對提升其版本目錄學的功力和藏書管理技術起著重大的作用。

伍、葉德輝對校讎學、目錄學、版本學三者關係的理解

關於校讎學、目錄學和版本學三者之間的關係問題，在學術界是有不同看法的。以目錄學和版本學二者之間的關係來說，有人認為「版本學是目錄學的一部分」❶，也有人認為版本學「應該是可以成為一門專門的科學」❷。那麼，葉德輝對這三者之間的關係又是做怎樣的理解呢？

葉德輝在《書林清話》卷一〈板本之名稱〉中說：

> 近人言藏書者，分目錄、板本為兩種學派。大約官家之書，自《崇文總目》以下，至乾隆所修《四庫全書總目提要》，是為目錄之學。私家之藏，自宋尤袤遂初堂、明毛晉汲古閣，及康、雍、乾、嘉以來各藏書家，齗齗於宋元本舊鈔，是為板本之學。然二者皆兼校讎，是又為校勘之

❶ 毛春翔《古書版本常談》(香港：中華書局香港分局，1985)，頁3。

❷ 顧廷龍〈版本學與圖書館〉，見中國圖書館學會學術委員會古籍版本研究組《版本學研究論文選集》(北京：書目文獻出版社，1995)，頁103－104。

學。本朝文治超軼宋元，皆此三者為之根柢，固不得謂為無益之事也。❸

我們認為，葉德輝對目錄學和版本學之間關係的理解，還是相當正確的。如試作圖解，他的系統歸屬應是如此：

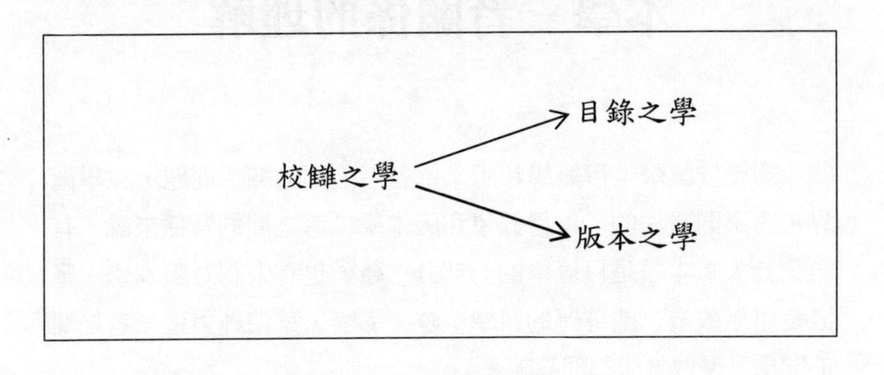

通過以上的圖解，說明了兩個觀點：一、目錄學和版本學是統於校讎學之下的；二、目錄學和版本學是獨立的學科。

葉德輝以為目錄學統括於校讎學下，可以說是為清乾嘉時期學者們對校讎學和目錄學的關係的爭議提供了更合理的答案。這是因為「乾嘉以後一般學者，不但使目錄之學脫離校讎學而獨立，簡直是不承認校讎之可以為學」❹。王鳴盛（1722－1797）在《十七史商榷》第一條目下開宗明義就說：「目錄之學，學中第

❸ 葉德輝《書林清話》卷一，〈板本之名稱〉，民國庚申（1920）觀古堂刊本，頁24下。

❹ 蔣元卿《校讎學史》（合肥：黃山書社，1985），頁125。

一要緊事，必從此問途，方得其門而入。」❺又說：「凡讀書最切要者，目錄之學，目錄明方可讀書；不明，終是亂讀。」❻之後從王鳴盛者不乏其人。如孫德謙（1869－1935）說：「鄭樵《通志·校讎略》，其論編次者，為目凡七」，「夫《校讎略》中而備論編次之事，則校讎者乃目錄之學，非僅後世校讎家，但辨訂文字而已，是可知也。」❼張爾田（1874－1945）亦說：「《隋書經籍志·簿錄篇》云：『古者史官既司典籍，益有目錄，以為綱紀。漢時劉向《別錄》、劉歆《七略》，剖析條流，各有其部，推尋事蹟，疑則古之制。』知校讎者，目錄之學也。」❽

對堅持於目錄學以外沒有校讎學的學者的那種忘本截流的觀點，一些學者是無法苟同的，章學誠（1738－1801）在《信摭》中說：

> 校讎之學，自劉氏父子，淵源流別，最為推見古人大體，而校訂字句，則其小焉者也。絕學不傳，千載而後，鄭樵始有窺見，特著《校讎》之略，而未盡其奧，人亦無由知之。世之論校讎者，惟爭辯於行墨字句之間，不復知有淵源流別矣。近人不得其說，而於古書有篇卷參差，敘例異同，當考辨者，乃謂古人別有目錄之學，真屬詫聞。且搖

---

❺ 王鳴盛《十七史商榷》卷一，清光緒十九年（1893）廣雅書局覆刻本，頁 1 。

❻ 王鳴盛《十七史商榷》卷十七，頁 1。

❼ 孫德謙《劉向校讎學纂微》，〈謹編次〉，見《孫隘堪所著書》冊 3，民國孫氏四益宦刊本，頁 11 下。

❽ 孫德謙《劉向校讎學纂微》，張爾田〈序〉，頁 1。

曳作態以出之，言或人不解，問伊：書止求其義足矣，目錄無關文義，何必講求？彼則笑而不言。真是貧兒賣弄家私，不值一笑矣。❾

章學誠根本不承認在校讎學外，別有目錄之學，且予以譏訕。針對章學誠的批評，蔣元卿說：

固然章氏所說，未免過甚其詞，但乾嘉時代一般所謂目錄學家只知注意「篇卷參差，敘例異同」，「惟爭辯於行墨字句之間，不復知有淵源流別」，也是十分真確的事。這樣不知輕重，逐流忘本的惡現象，無怪章氏要大肆譏訕了。❿

張舜徽在《中國校讎學敘論》一文中指出：

近三百年來，我國理董舊聞的學者們的治學風氣，每喜將門路分得很窄，此疆彼界，各有範圍。單從學術分工的角度來看問題，自然有他們各自深入鑽研的成績。但由此而引起的不良後果，卻也不少。這在過去博學通人們，都已道破此中偏蔽了。清代學者強調「目錄學」的作用，卻把它和「校讎學」對立起來，很少人注意到「目錄」只是「校讎學」中的一部分。……我們推原到西漢末年，由政府組織人力進行中國歷史上第一次大規模清理圖書的時候，劉向、劉歆父子受詔校書，首先是廣羅異本，其次是

---

❾ 章學誠《信摭》，見《章氏遺書外篇》卷一，吳興劉氏嘉業堂本，頁8下－9上。

❿ 蔣元卿《校讎學史》，頁125。

> 勘對文字，最後才將群書編定目錄。這三方面的工作，總名為「校讎」。三者必互相聯繫，不可分割，才能發揮它的作用。⓫

王鳴盛、趙爾田等學者強調目錄學外沒有校讎學的觀點固然不妥，但章學誠以為校讎學外無目錄學的觀點亦有值得商榷的餘地。況且章學誠的只承認校讎學，不承認目錄學的觀點，據昌彼得研究，「實則從章氏的著作來看，他所反覆研討的，只有詳類例，明編次，而不及文字校勘的方法，正是乾嘉以降目錄學研究的領域」⓬。

因此，葉德輝對校讎學和目錄學的關係，是承認目錄學是獨立之學外，也承認目錄學乃廣義校讎學的一部分，這種見解顯然異於王鳴盛派和章學誠派。這種理解，顯然不是為了避免開罪王鳴盛派或章學誠派的任何一方而所採取的折衷、中庸的辦法。它反映葉德輝能夠推本溯源，以及對當時學術發展趨勢有正確認識，因而能得出對校讎學和目錄學關係的正確理解。

另外，如果單從以上的圖解來看，目錄學和版本學在葉德輝眼裡似乎是各自獨立的學科，不相依存。那麼，在葉德輝看來，目錄學和版本學是各自獨立的學科？還是互相依存的學科呢？葉德輝在《書林清話》中一些討論版本和版本學的話語應該可以提

⓫ 張舜徽《中國校讎學敘論》，見《華中師院學報（哲學社會科學版）》1979 年第 1 期（1979 年 2 月），頁 64。

⓬ 昌彼得《章實齋的目錄學》，見昌著《版本目錄學論叢（二）》（臺北：學海出版社，1977），頁 79。

供明確的答案。我們首先看他對「版本」這個名稱的解釋，他說：

> 先祖宋少保公《石林燕語》云：「唐以前，凡書籍皆寫本，未有模印之法。人以藏書為貴，人不多有。而藏者精於讎對，故往往皆有善本。學者以傳錄之艱，故其誦讀亦精詳。五代馮道始奏請官鏤《六經》板印行。國朝淳化中，復以《史記》、前後《漢》付有司摹印。自是書籍刊鏤者益多，士大夫不復以藏書為意。學者易於得書，其誦讀亦因滅裂。然板本初不是正，不無訛誤。世既一以板本為正，而藏本日亡，其訛謬者遂不可正，甚可惜也。余襄公靖為秘書丞，嘗言《前漢書》本謬甚。詔與王原叔同取秘閣古本參校，遂為刊誤三十卷。其後劉原父兄弟，兩《漢》皆有刊誤。余在許昌，得宋景文用監本手校《西漢》一部，末題用十三本校，中間有脫兩行者，惜乎今亡之矣。」據此而論，雕板謂之板，藏本謂之本。藏本者，官私所藏未雕之善本也。自雕板盛行，於是板本二字合為一名。⑬

據葉德輝考證，「本」初指未雕板以前的寫本，「板」初指雕板印行的書本。雕板盛行以後，才合為「板本」，專指雕板印書。這是「板本」最初的含義。那麼，作為獨立學科的版本學是何時產生的呢？葉德輝以為版本學是在「板本」出現以後，在目錄中產生的。他指出：

---

⑬ 葉德輝《書林清話》卷一，〈板本之名稱〉，頁1。

> 古人私家藏書必自撰目錄，今世所傳，宋晁公武《郡齋讀書志》、陳振孫《直齋書錄解題》是也。……諸家所藏，多者三萬卷，少者一二萬卷，無所謂異本、重本也。自鏤板興，於是兼言板本。其例創於宋尤袤《遂初堂書目》。目中所錄，一書多至數本。有成都石經本，秘閣本，舊監本，京本，江西本，吉州本，杭本，舊杭本，嚴州本，越州本，湖北本，川本，川大字本，川小字本，高麗本。此類書以正經正史為多，大約皆州郡公使庫本也。同時岳珂刻《九經三傳》，其〈沿革例〉所稱，有監本，唐石刻本，晉天福銅版本，京師大字舊本，紹興初監本，監中現行本，……合二十三本。知辨別板本，宋末士大夫已開其風。⓮

以上文字反映了葉德輝對版本學緣起的看法。他認為版本學起源於私人藏書目錄。由於雕板盛行，印書能力大為提高，故出現了「一書多至數本」的現象。這使藏書家在自撰目錄中，開始著錄異本和辨別板本，這就產生了版本學。南宋初期尤袤（1127－1194）《遂初堂書目》首創其例，南宋岳珂（1183－1234）《九經三傳·沿革例》中對版本的著錄更為詳悉。這些都是在私人目錄中出現的，也就是說，版本學是在目錄學中產生的。⓯

版本的研究，雖然在宋代已蔚為風氣，南宋初期尤袤《遂初堂書目》就是一部首創版本學先例的版本目錄專書。但版本學與

⓮ 葉德輝《書林清話》卷一，〈古今藏書家紀板本〉，頁4下－5。

⓯ 劉國珺〈談葉德輝的版本學〉，見《版本學研究論文選集》，頁380。

目錄學之間的界限尚不是十分明確。誠如葉德輝所說，分為兩派的現象主要是明清間的情況。葉德輝在《書林餘話》卷下轉錄了他為《四部叢刊》所撰〈例言〉提到：「古書記載行字，濫觴於明季」⑯。對於這句話，師道剛評論說：

> 我想可能是指明周弘祖《古今書刻》、劉若愚《內版經書記略》、朱睦㮮《授經圖》之類專講行格版本的著作而言。若葉氏所言不誤，則版本鑑定之學，有例可循，轉入細密是從明末開始的。⑰

這段話說明版本學從明末開始往獨立學科的方向前進。葉德輝說：

> 明毛扆《汲古閣珍藏秘本書目》，注有宋本、元本、舊抄、影宋、校宋本等字。……江陰李鶚翀《得月樓書目》，亦注宋板、元板、鈔本字。國初季振宜《季滄葦書目》、錢曾《述古堂藏書目》，卷首均別為宋板書目。徐乾學《傳是樓宋元本書目》，至以專名屬之，顧不詳其刻於何地何時，猶是抔飲汙尊之意。明范氏《天一閣書目》，載宋元明刻及鈔本字頗詳。⑱

---

⑯ 葉德輝《書林餘話》卷下，民國十七年（1928）上海澹園刊本，頁17上。

⑰ 師道剛〈版本與目錄之關係淺釋中西目錄學分類比較觀〉，見《版本學研究論文選集》，頁354。

⑱ 葉德輝《書林清話》卷一，〈古今藏書家紀板本〉，頁5下－6上。

毛扆（1640－？）《汲古閣珍藏秘本書目》、李鶚翀《得月樓書目》、季振宜（1630－？）《季滄葦書目》、錢曾（1628－1701）《述古堂藏書目》等書的問世，反映了明清之際士大夫之間矜貴版本的風習時尚。葉德輝又指出，版本學的興盛是在清乾嘉間：

> 自康、雍以來，宋元舊刻日稀，而搢紳士林佞宋秘宋之風，遂成一時佳話。乾隆四十年，大學士于敏中奉敕編《天祿琳琅書目》十卷，分列宋板、元板、明板、影宋等類，於刊刻時地、收藏姓名、印記，一一為之考證。嘉慶二年，以《前編》未盡及書成以後所得，敕彭元瑞等為《後編》二十卷，是為官書言板本之始。《四庫全書提要浙江採集遺書總錄》、《閏集》，亦偶及之。其後臣民之家，孫星衍有《祠堂書目內編》、《外編》，宋元舊板並同時所刻，分別注明。自為《平津館鑑藏書籍記》、《補編》、《續編》。陳宗彝又為之編《廉石居藏書記》。吳焯有《繡谷亭薰習錄》。吳壽暘有《拜經樓藏書題跋記》、《附錄》。黃丕烈有《士禮居藏書題跋記》、《續記》、《再續》、《百宋一廛書錄》，顧廣圻為作《百宋一廛賦》。張金吾有《愛日精廬藏書志》、《續志》。……楊守敬有《日本訪書志》，又有《留真譜》。繆荃孫有《藝風堂藏書記》、《續記》，又編《學部圖書館善本書目》。此外，傅沅叔增湘、況夔笙周頤、何厚甫培元，收藏與過眼頗多，均有存目，尚未編定。蓋自乾、嘉至光、宣，百年以來，談此學者，咸視為身心性命之事，斯豈長恩有靈與，何沆瀣相承不絕如是也！外此諸

家文集、日記、雜誌亦多涉之。……大抵於所見古書，非有考據，即有題記。⓳

這說明了版本學在清乾嘉間取得了長足的發展。在此期間，不但私人目錄中盛談版本，在公家目錄中也大談版本之學了。此外，版本學研究的範圍也急劇擴大，它不單著錄異本，對版本的時代、刊刻地點、收藏姓名、印記等也逐一進行研究。這使版本學發展成一種專門的學科。從此，版本之學更為人們所重視。不少卓有成就的版本學家和水準頗高的版本學著作也隨之陸續湧現，研究的範圍愈加廣泛，用心愈加精細。他們或重考訂，或精校讎，或善賞鑑，取得了巨大成果。⓴

葉德輝更進一步指出鑑別古籍版本離不開古籍書目，他說：「鑑別之道，必先自通知目錄始。」以為「不通目錄，不知古書之存亡；不知古書之存亡，一切偽撰抄撮、張冠李戴之書雜然濫收，淆亂耳目。」㉑的確，古籍書目是考訂版本異同和圖書存佚的工具，知道了圖書存佚，有利於識別偽本。

以上的討論說明在葉德輝眼裡，版本學是自目錄學產生，之後雖獨立成學，但在鑑別古籍版本的過程中仍不能脫離古籍書目，仍必須以它們為依據，是鑑定古籍不可或缺的工具。從這裡，我們看到版本學是離不開目錄學的。那麼，反過來說，在葉德輝的目錄學系統裡，目錄學是否可以脫離版本學而獨立呢？針

⓳ 葉德輝《書林清話》卷一，〈古今藏書家紀板本〉，頁6下－8下。

⓴ 劉國珺〈談葉德輝的版本學〉，頁381。

㉑ 葉德輝《藏書十約》，〈鑒別二〉，見《葉德輝集》冊2，頁21。

對這個問題，我們只能通過葉德輝的目錄學著作來尋求答案。通過其藏書目錄—《觀古堂藏書目》，我們發現其著錄項目包括書名、卷數、著者、版本項等內容。在這些項目中，版本項與版本學的關係是不言而喻的。此外，書名、卷數、著者等項內容也與版本學有關。例如同書異名就是版本問題，知道了不同版本的同書異名，在著錄書名的時候，就不致於張冠李戴。若從這個側面看，說明目錄學是離不開版本學的，相信葉德輝本人也不會否認這種說法。

因此，結合以上的討論，我們知道葉德輝對目錄學和版本學關係的系統應該是：

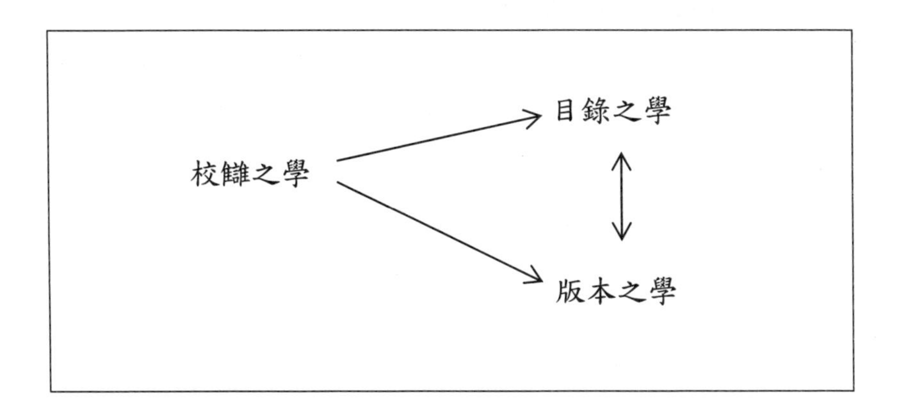

目錄學和版本學在校讎學的統轄下，從它們本身的發展歷史和研究內容看，獨立成學是完全可以的；但從研究目錄學和編制目錄書來說，版本學則是目錄學不可或分而密切相連的一門學科；反之，若從研究版本學來說，又何嘗能夠置目錄學於不論

呢？因此，葉德輝對目錄學和版本學的關係的理解是完全正確的。

葉德輝關於校讎學、目錄學和版本學三者關係的理解，並非其一人之卓識，實乃時代之產物。當時一些學者已有相同的認識。這種認識淵源於古代圖書整理圖書工作的長期歷史實踐。當然，這種理解也是有清一代考據學繁榮興旺下的產物。葉德輝之後的學者如傅增湘和余嘉錫（1883－1955）等，基本上對校讎學、目錄學和版本學三者關係有大體一致的認識。

總的說來，葉德輝對校讎學、目錄學、版本學關係的觀點，主要是根據三者發展的歷史源流軌跡來立論，因而能夠得出較乾嘉學者更為正確、客觀的理解。

陸、從《觀古堂藏書目》看葉德輝的編目學

一

《觀古堂藏書目》（簡稱《觀目》）是葉德輝的藏書目錄。《觀目》全書凡四卷，卷一經部、卷二史部、卷三子部、卷四集部，採傳統的四部分類方式，與《四庫全書總目》、張之洞《書目答問》大同小異。共計著錄藏書五千一百四十八種、六千八百零三部、十一萬一千五百零一卷。該書目「於一切宋元刻本、名校舊抄，大半載而未盡，然明以來精刻善本則詳錄靡遺。」，葉德輝對此書目的期許很高，以為「此目可以補正張文襄《書目答問》之缺誤，亦足備《清史·藝文志》之史材」❶。

體例一事，決定一書之寫作方向、價值與特色。中國目錄書的體例，在其意義與功能上，都迥異於西方之目錄。❷昌彼得《中國目錄學》一書中，詳言中國目錄書的體制如下：

---

❶ 葉德輝《觀古堂藏書目》卷四後，葉啟倬、葉啟慕〈《觀古堂藏書目》跋〉，見《葉德輝集》冊 4，頁 156。

❷ 昌彼得〈中國目錄學的源流〉，見昌著《版本目錄學論叢（二）》（臺北：學海出版社，1977），頁 171，言「我國（筆者按：即中國）目

> 劉氏向、歆父子的《別錄》、《七略》，是後世編著目錄者所取法的，故評論目錄書的優劣，不能不拿《錄》、《略》作為衡量的標準。綜括《錄》、《略》著作的體例，主要有三項：一曰篇目，是概括一書的本末；二曰敘錄，是考述作者的行事，與論析一書的大旨及得失；三曰小序，是敘述一家一派的學術源流。所有這幾種體制，其作用即是章學誠所謂的：「辨章學術，考鏡源流。」後代的目錄書，無論內容或詳或略，或損或益，大抵不出這三個範圍。自從雕版印刷術普及後，宋以來的目錄書中間有記載版本的。清乾嘉以來，版本之學興盛，各家藏書目錄的編撰，大多詳記版刻的源流，則所以考版本的源流異同。這種體制雖然屬於後起，但已為近世研治目錄學者奉為圭臬。以上四種體制，如有不備，則目錄的功用不全。❸

昌彼得這段話，已將目錄書的體制，解析甚詳。由於後代目錄繁多，在體例上多少互有不同，因此研究一部目錄時，其著錄體例

錄學，是詳分類例以部次群書，而推闡各書之大旨，辨學術的源流本末，志版本的異同優劣，俾使讀者依類目以知學術，因學而知求書，求書知道選擇版本的一種專門學術。故目錄學的主要對象是學術界，不僅是消極的便利查檢圖書，並能積極地指導學者如何去研究找資料，這與西洋目錄學在基本上似有不同之處。」其中所言「推闡各書之大旨」即敘錄，「辨學術的源流本末」即小序，「志版本的異同優劣」即版本題識，此三項乃中國編目學所特有的體例。

❸ 昌彼得《中國目錄學》（臺北：文史哲出版社，1990），頁 37。

乃成為必要之研究範圍。今乃就葉德輝《觀古堂藏書目》中的著錄情形，加以分析，以歸納其著錄之體例。

一、各書皆首冠書名，次卷數，下以小字雙行著錄撰人姓氏，及所藏各種版本。如：

> 《逸周書》十卷晉孔晁撰。一明吳琯《古今逸史》刻本、一明程榮《漢魏叢書》本、一明何允中《漢魏叢書》本、一乾隆丙午盧文弨刻《抱經堂叢書》本、一王謨《漢魏叢書》本。❹

偶有附註其他事項，如：

> 《山谷外集》十四卷《別集》二十卷宋黃庭堅撰。明萬曆甲寅李友梅刻本，按據李序乃因方沆刻《正集》補刻此《二集》，然《正集》半葉十行，行二十字，此刻十一行，行二十字，不知行格如何未劃一。❺

二、各書依經、史、子、集四部排列。經部凡十四類、史部凡十二類、子部凡十四類、集部凡六類。

三、各目之下依著者時代先後排列。

《觀目》除了以上三點一般性的體例外，在其小註中，尚有許多附加著錄，此乃構成《觀目》的特色，故一一分述於下：

(一)「通」例的著錄

---

❹ 葉德輝《觀古堂藏書目》卷四，〈經部·書類〉，見《葉德輝集》冊4，頁10。

❺ 葉德輝《觀古堂藏書目》卷四，〈集部·別集類〉，頁114。

明代藏書兼目錄學家祁承㸁在〈庚申整書例略〉中提到他編目時所用的四個方法，其中有「通」例曰：

> 通者，流通於四部之內也。……古人解經，存者十一，如歐陽公之《易童子問》、王荊公之《卦名牌》、曾南豐之《洪範傳》，皆有別本，而今僅見於文集之中。惟各摘其目，列之本類，使窮經者知所考求，此皆因以少以會多也。又如《靖康傳信錄》、《建炎時政記》，此雜史也，而載於李忠定之《奏議》；《宋朝祖宗事實及法制人物》，此記傳也，而收入朱晦翁之《語錄》；如羅延平之《集》，而《尊堯錄》則史矣；張九韶之《集》，而《傳心錄》則子矣。凡若此類今皆悉為分載，特注明原在某書之內，以便檢閱，是亦收藏家一捷法也。❻

祁承㸁此意，乃是將文集或叢書之中，原應屬於各類的單本著述，一一從原集或叢書中析出，分別著錄於所當入的各類，再於其下註明原屬於某集或某書，以便即類求書。葉德輝在《觀目》中，大量地採用了祁承㸁的「通」例，如《子夏易傳》一卷，下註：

> 一道光辛巳張澍輯刻《二酉堂叢書》本、一馬國翰輯刻《玉函山房叢書》本。❼

---

❻ 祁承㸁〈庚申整書例略〉，見袁詠秋、曾季光主編《中國歷代圖書著錄文選》(北京：北京大學出版社，1995)，頁 321－322。

❼ 葉德輝《觀古堂藏書目》卷一，〈經部·易類〉，頁 4。

又如《獨斷》二卷，下註：

> 一明重刻《百川學海》本、一明《古今逸史》本、一明程榮《漢魏叢書》本、一明何允中《漢魏叢書》本、一王謨《漢魏叢書》本、一乾隆庚戌盧文弨刻《抱經堂叢書》本、一咸豐二年楊以增海源閣仿宋刻《蔡中郎外集》第四卷本。❽

就整體來說，葉德輝的這個方法僅用於屬於彙刻叢書上。彙刻叢書往往包羅古今書籍，內容非常龐雜，所牽涉的範圍包括經、史、子、集各方面的書籍。因此，葉德輝將這些彙刻叢書下的單本著述一一析分出來，按其內容歸類。

(二) 版本之著錄

葉德輝《觀目》中有版本之著錄，且非常詳備，其例如下：

> 《舊唐書經籍志》二卷晉劉曙等撰。日本刻《八史經籍志》本。❾
>
> 《沈文肅政書》七卷沈保楨撰 。光緒庚辰活字排印本。❿
>
> 《代北姓譜》一卷周春撰。抄本。⓫
>
> 《高忠憲年譜》二卷明高攀龍子世寧撰。順治己亥家刻本。⓬

---

❽ 葉德輝《觀古堂藏書目》卷三，〈子部·名家類〉，頁 81。
❾ 葉德輝《觀古堂藏書目》卷二，〈史部·正史類〉，頁 43。
❿ 葉德輝《觀古堂藏書目》卷二，〈史部·政書類〉，頁 53。
⓫ 葉德輝《觀古堂藏書目》卷二，〈史部·譜系類〉，頁 62。
⓬ 葉德輝《觀古堂藏書目》卷二，〈史部·譜系類〉，頁 43。

《儀禮石經校勘記》四卷阮元撰。一乾隆乙卯《文選樓叢書》本、一咸豐乙卯《粵雅堂叢書》本、一光緒庚寅成都書局《石經彙函》本。⑬

在《觀目》所著錄的各時代的版本中，我們發現以明清時代的刻本居多。葉德輝在搜求圖書時有偏嗜明清刻本的傾向，對時人想盡各種方法、途徑追求的宋元舊刻的興趣不大，這多少反映了舊刻愈遠愈稀的現象，但絕大多數和葉德輝學術思想息息相關。葉德輝這種偏嗜明清刻本的傾向也強烈地反映在其目錄學上，從《觀目》的版本著錄中可以讓我們清楚地看到這一傾向。葉德輝重視著錄明清刻本的目錄學觀點，在清代目錄學中尚屬「異類」。我們可以通過葉德輝以下的一段話了解清代目錄學界在編制書目時著錄圖書版本的傾向：

自來藏書家目侈錄宋本，此則元刻舊鈔，明刻又次之，至於近刻則屏而不錄，此洪北江所謂藏書者之藏書也。陽湖孫氏《祠堂書目》間注時刻，略而不詳，然其目分十二類，通《漢略》《隋志》之郵，變《崇文》《文淵》之例。近著述讀者不僅以書目重之，道光中有倪氏《江上雲林閣書目》，中依《四庫》分類，多收時刻，間有一二宋元明鈔，洪北江為作藏書記，亟稱譽焉。同治中揭陽丁禹生中臣日昌開府，江南兵燹之餘，舊家藏書悉為捆載歸田，後刻《持靜齋書目》，亦遵《四庫》，分別宋元明刻舊鈔，兼

⑬ 葉德輝《觀古堂藏書目》卷二，〈經部·禮類〉，頁 24。

載近刻，此洪北江所謂讀書者之藏書也。自茲以後，如聊城楊致堂河師以增《海源閣書目》、常熟瞿子雍明經鏞《鐵琴銅劍樓書目》、歸安陸誠齋觀察心源《皕宋樓書目》、閩縣陳徵芝大令蘭鄰《帶經堂書目》，皆以宋元舊刻舊鈔孤本秘笈相矜尚，體例與倪丁二目不同，見者欽其寶。莫名其妙，可謂只可自怡悅，不堪持贈君者也。⓮

通過以上的一段話，說明清代除少數書目編制者在書目中著錄時刻外，一般書目編制者都有在書目著錄宋元刻本、名校舊抄的傾向。葉德輝對於這種「非讀書者之藏書」不以為然，對收錄近刻、時刻的《江上雲林閣書目》、《持靜齋書目》等以為乃「讀書者之藏書」，給予它們極高的評價。

(三) 卷目之著錄

一書內容較為龐雜，各卷所敘內容不相貫聯者，葉德輝便將書之卷目，著錄於其下，如《袁中郎十集》十六卷，下註：

《廣莊》一卷、《敝篋集》二卷、《桃源詠》一卷、《華嵩遊草》二卷、《瓶史》一卷、《觴政》一卷、《破研齋集》三卷、《廣陵集》一卷、《狂言》二卷、《狂言別集》二卷。⓯

又如《呂新吾全集》四十九卷，下註：

⓮ 葉德輝《郎園讀書志》卷四，跋原刻初印本《書目答問》不分卷又一部，見《葉德輝集》冊 3，頁 104－105。

⓯ 葉德輝《觀古堂藏書目》卷四，〈集部·別集類〉，頁 122。

《奏疏》二卷、《憂危》一卷、《公牘》一卷、《去偽齋文集》十卷、《交泰韻》一卷、《四禮翼》八卷、《四禮疑》五卷、《小兒語》一卷、《河工書》一卷、《長城或問》一卷、《疹科》一卷、《無如》一卷、《天目書》一卷、《陰符注》一卷、《訓世格言》一卷、《宗約哥好人哥》一卷、《閨訓》一卷、《實政錄》七卷、《省心記》一卷、《反挽歌》一卷、《墓誌銘》一卷、《附錄》一卷。⑯

(四) 叢書子目之著錄

謝國楨在〈叢書刊刻源流考〉一文中指出叢書的內容「約可分為六類：一曰彙刻（即古今著述），二曰類刻，亦可名曰專刊（即經、史、子、集諸部），三曰辨偽輯佚，四曰自著，五曰郡邑，六曰族姓。此六類者，係指昔日所刻叢書而言」。⑰《觀目》中對叢書子目的著錄有其一套法則，就類刻來說，由於所收錄的圖書基本上屬同一內容，不涉及其他範圍，所以葉德輝在處理這些叢書時基本上是將這些叢書收錄的細目列在叢書之下，如《天學初函器編》三十卷列其十種細目、《勿庵曆算全書》七十四卷列其細目二十九種、《數學五書》五卷列其五種細目、《國朝十家詩鈔》七十五卷列其十種細目、《國朝百名家詩鈔》丙、丁、戊、己、庚五集五十九家列其五十九種細目、《宋六十名家詞》八十八卷列其六十一種細目、《宋元三十一家詞》三十一卷列其三十一種

⑯ 葉德輝《觀古堂藏書目》卷四，〈集部．別集類〉，頁 121。

⑰ 謝國楨〈叢書刊刻源流考〉，見謝著《明清筆記談叢》（上海：上海古籍出版社，1981），頁 226。

細目、《宋元名家詞》十五卷列其十五種細目、《元人百種曲》一百卷列其一百種細目、《玉茗堂四夢傳奇》八卷列其四種細目等等。

(五) 按語之著錄

葉德輝在《觀目》中往往於小註內加入按語，一般是放置在版本項之後。其按語之內容頗為龐雜。有些按語是用來說明與前人書目之歸類不同的原因，如「史部・注曆類」之唐李德裕編《次柳氏舊聞》一卷，下有按語云：

> 按此即《明皇十七事》，《四庫》入小說，然德裕序明言信而有徵，可為實錄，則故史部之流，今故移入此類。⑱

葉德輝在這裡說明將《次柳氏舊聞》一卷歸入「史部・注曆類」，而不像《總目》將之歸入「子部・小說類」，是由於其可信度高，可為實錄的緣故。又如「史部・別史類」之宋李心傳撰《道命錄》十卷，下有按語云：

> 按此書《四庫提要》入傳記名人之屬，存目。今按其書乃紀慶元黨禍諸事，而以趙忠定朱子為道統，所屬其事特詳，故名之曰《道命錄》。然紀一人之事則生卒始末不詳，紀諸人之事則里貫仕籍不具，論其體要與《慶元黨禁》記

⑱ 葉德輝《觀古堂藏書目》卷二，〈史部・編年類〉，頁 46。

> 黨事首尾者相同，蓋史家雜史之屬。《四庫》並《慶元黨禁》入傳記，非也。⑲

又如「史部·別史類」之明程敏政撰《南宋遺民錄》十五卷，下有按語云：

> 按此書雖分人紀事而始末不詳，《四庫》入傳記，存目，非也。⑳

葉德輝以「紀一人之事則生卒始末不詳，紀諸人之事則里貫仕籍不具」，將《道命錄》和《南宋遺民錄》併入「史部·別史類」。再如「史部·雜史類」之宋孫升撰《孫公談圃》三卷，下有按語云：

> 按此書多記北宋諸臣遺聞佚事，實為史部之學，《四庫》列入小說，非也。㉑

葉德輝在這裡以「此書多記北宋諸臣遺聞佚事」，當為「史部之學」，認為《總目》將它列入「小說類」為錯誤的做法。

除了在按語中說明分類的原由外，其用按語交待的事項頗為複雜。如「史部·雜史類」之明呂毖校《明宮史五史》，下有按語云：「此即《酌中志》之十六卷至二十三卷，為明內監劉若愚撰，呂毖校正，故題其名。」㉒此按語說明《明宮史五史》實摘錄自

---

⑲ 葉德輝《觀古堂藏書目》卷二，〈史部·雜史〉，頁48－49。
⑳ 葉德輝《觀古堂藏書目》卷二，〈史部·雜史〉，頁49。
㉑ 葉德輝《觀古堂藏書目》卷二，〈史部·雜史〉，頁50。
㉒ 葉德輝《觀古堂藏書目》卷二，〈史部·雜史〉，頁50。

《酌中志》之十六卷至二十三卷，同時也說明其得名由來。又如「史部·雜史類」之明劉若愚撰《酌中志餘》二卷，下有按語云：「此皆《酌中志》、《明宮史》未載之事。」㉓說明《酌中志餘》有異於《酌中志》和《明宮史》。又如「子部·數術類」之戴煦撰《求表捷術》九卷，下有按語云：「按《對數簡法》在內。」㉔說明《求表捷術》內包括《對數簡法》這本書。再如康熙二十二年奉敕編《欽定萬年書》十二卷，下有按語云：「按《四庫》未收。」說明《總目》未收此書。由於《觀目》之按語頗為龐雜，無法一一指陳，故僅舉以上幾個例子。

二

上文曾引昌彼得之言，謂目錄書著錄的體例有四：篇目、敘錄、小序及版本。這裡擬以此四項體例作為標準，對《觀目》作一討論，以研析《觀目》於此四種體例，是否完備。

(一) 篇目

篇目的體例是條別全書，註明某篇第幾。篇目的作用，是概括一書之本末，使讀者一覽目錄，即能了然全書首尾，而後閱書，即可知其殘缺與否。㉕

篇目的體例在卷冊未行之前，是非常重要的。余嘉錫《目錄學發微》一書說：

㉓ 葉德輝《觀古堂藏書目》卷二，〈史部·雜史〉，頁 50。

㉔ 葉德輝《觀古堂藏書目》卷三，〈子部·術數類〉，頁 100。

㉕ 昌彼得《中國目錄學》，頁 37－38。

> 古之經典，書於簡策，而編之以韋若絲，名之為篇。簡策厚重，不能過多，一書既分為若干篇，則各為之名，題之篇旨，以為識別。其用特以便檢察，如今本之題書根耳。

又說：

> 夫篇卷不相聯屬，則易於淩雜，故流傳之本多非完書。又古書以一事為一篇者，往往每篇別行，及劉向校書，合中外之本，刪除重複，乃定著為若干篇。故每書必著篇目於前者，所以防散失免錯亂也。㉖

由以上兩段話，我們可以了解簡策時代書的形式，是以篇為單位，而在篇首題篇旨以為識別。由於各篇別行，以致各家收藏往往有出入重複者，故劉向校書時，要一一定篇目，作為一書之定本，以防書之散失錯亂。

到了後代，書籍的形式漸由簡策變為卷軸，更演進為書冊，易藏易檢，也無單篇別行之必要。且後世的書卷帙繁多，若撰書目時，一一條舉篇目，除了徒增篇幅外，可說毫無意義，因此篇目的體例就漸漸消失了。但如因篇目繁多就刪除不載，後人又無從考覆存佚，亦為一失。前文詳言《觀目》中小註的第三項，乃將一書之卷目著錄下來，這正是對篇目體例的改進和簡化。昌彼得曾說：

㉖ 余嘉錫《目錄學發微》（成都：巴蜀書社，1991），頁 27－29。

這種的敘述方式，於卷輻無所增，雖未列篇目，而對於一書的始末仍可顯見，後世即令有亡篇佚卷，猶可據以檢覆，於例最為得之，是編著目錄者所應當師法的。㉗

《觀目》中除對一般書籍作卷目的著錄外，對於叢書子目，亦紛紛著錄於叢書之下，這可說是「篇目」的又一擴大。叢書中收入各種內容龐雜的書，如不一一著錄子目，則閱者於其內容無從知曉，故《觀目》中著錄叢書之子目，可說是大大發揮了篇目體例的功能，是葉德輝在編目學上的一項成就。

(二) 敘錄

敘錄體例的要點，在考述作者的行事，與論析一書的大旨及得失。而劉向撰寫敘錄的義例有三：一為介紹著者的生平，二為說明著書的原委，三為評論書之得失。㉘

以此三項義例來衡量《觀目》的體例，則《觀目》可說沒有敘錄的體例。推究其原因，不外以下兩點：

一為中國目錄書中敘錄的體制，自宋代以後便漸漸失去了。昌彼得說：

宋代以降的敘錄之作，能紹述別錄的，只有清乾隆間所修的《四庫全書總目提要》。其他如宋代的《崇文總目》、晁氏《郡齋讀書志》、陳氏《直齋書錄解題》、明高儒《百川

㉗ 昌彼得《中國目錄學》，頁 41。

㉘ 昌彼得《中國目錄學》，頁 41－42。

> 書志》等，大多僅蕞述各書的大旨，而對於著者的生平，及書的得失，但偶爾述及之，也不能詳明，為例已不純。㉙

因此，自宋代以來，編書目而不撰敘錄，實已成為明清兩代的共有特徵。

二為《觀目》的性質是一部家藏書目，且其著錄書多達五千餘種，十一萬餘卷。以葉德輝和其子侄之力，能編完這部書目，已是十分艱巨的工作，實不可能再為之撰寫敘錄了。私家藏目既非公諸於世，其主要的目的乃在「按目求書」，而非幫助一般人考覽群籍，這和《別錄》、《七略》是國家目錄的編撰目的，自不相同。故只要「分門別類，秩然不紊，亦足考鏡源流，示初學以讀書之門徑」㉚。

昌彼得《中國目錄學》又指出：

> 近世題跋的書，如陸心源《儀顧堂題跋》、《續跋》，傅增湘《藏園群書題跋記》、《續記》，莫伯驥《五十萬卷樓群書跋文》等書中，介紹作者的生平，大多博採雜史、方志、文集、說部諸書，能詳以前目錄所未詳的。固然這些題跋書以詳記版本為主，並不完全符合敘錄的體裁，然其博徵繁引，考作者的行事，實在是撰寫敘錄提要的人，所應當取法的。㉛

㉙ 昌彼得《中國目錄學》，頁 46。
㉚ 余嘉錫《目錄學發微》，頁 9。
㉛ 昌彼得《中國目錄學》，頁 46－47。

照昌彼得的話以及他所舉的例子來看，葉德輝的另一部目錄學著作——《郋園讀書志》——的性質是讀書題跋，和陸心源、傅增湘、莫伯驥的著作性質一樣。這麼看來，葉德輝也並沒有完全棄敘錄這一體例不顧。葉德輝於平日每得一書，就有撰寫跋文的習慣。然由於忙於地方政治與社會活動，故他無法全心全意為全部藏書撰寫題跋。況且觀古堂藏書也繼承了先輩們的不少藏書，若要為它們全部撰寫題跋，單憑葉德輝個人的力量是不可能的事。把這個工作交給子侄們分擔，又恐他們學力不夠，無法勝任。因此葉德輝擇取藏書中較有特色、價值的，進行考訂的工作，撰寫跋文。這些日積月累的跋文，後來在子侄們的共同努力編輯下，成《郋園讀書志》一書。

(三) 小序

小序的作用，是條別學術的源流與得失。劉歆在編輯《七略》時，「敍述各家各派學術的源流及利弊，合為一篇，放置目錄之前，謂之輯略」。後班固著《漢書》時，便「將輯略一篇文字，解散分載於各類書目之後，作為小序」[32]。小序的體制，可見於《觀目》的四則〈凡例〉。這四則〈凡例〉分別置於四部之前。因此，這四則〈凡例〉的功用，除了說明其著錄與分隸門類的義例，於學術的流變亦有所發明。《觀目》的這種做法，顯然和《總目》不同。據《總目》卷首〈凡例〉云：

---

[32] 昌彼得《中國目錄學》，頁 47。

> 四部之首各冠以總序，撮述其源流正變，以挈綱領。四十三（按三應作四）類之首亦各冠以小序，詳述其分並改隸，以析條目。[33]

和《總目》比較起來，《觀目》無總序，於各類之前亦無小序。《觀目》的小序做法，是通過簡單扼要的文字把各類目的學術流變勾畫出來，合併起來，成每部類之前的〈凡例〉。文字雖精簡，但我們不可忽視其「辨章學術，考鏡源流」的學術價值。

(四) 版本

版本的體例和前三項體例不同，是屬於後代新增的體例：

> 宋代以後，目錄書中尚有記載版本、抄錄序跋的。對於正統的目錄學而言，雖可說屬於別體，然而這種晚起的體制，用意頗善。[34]

書目中記載版本，始自宋尤袤的《遂初堂書目》，葉德輝在《書林清話》卷一〈古今藏書家紀板本〉中說：

> 古人私家藏書，必自撰目錄。今世所傳，宋晁公武《郡齋讀書志》、陳振孫《直齋書錄解題》是也。……諸家所藏，多者三萬卷，少者一、二萬卷，無所謂異本重本也。自鏤

[33] 永瑢等撰《四庫全書總目》卷首，〈凡例〉（北京：中華書局，1995），頁 18。

[34] 昌彼得《中國目錄學》，頁 56。

> 版興，於是兼言板本，其例創於宋尤袤《遂初堂書目》。[35]

昌彼得敘及書目記載版本的源流與發展說：

> 尤氏以後，編書目能仿用其例的尚甚罕見，在明代唯有嘉靖間晁瑮編《寶文堂書目》，於書名下偶有注明所藏的什麼刻本。明末以來，藏書家特重宋元版，故清初所藏的宋元本始予以標注，如《汲古閣宋元版書目》、《絳雲樓書目》、《季滄葦藏書目》等是。而錢曾的《述古堂書目》除記明宋元版外，於抄本書也加以著明。一直到嘉慶間秦恩復編其藏書為《百研齋書目》，才推廣尤氏《遂初堂書目》的陳法，始備注明所藏各書的版本。……嘉慶以後，藏書家所編書目大都注明版本，實為一大進步。惟各家書目所記版本，多僅注明為宋為元為明，稍詳者不過標舉元號，如「明嘉靖刻本」、「明萬曆刻本」、「清康熙刻本」等，若求如遂初堂一樣，能載明刻地的，可以說甚罕。[36]

前文的討論中我們知道《觀目》對所藏版本之著錄特別重視，且特別注重明清版本的著錄，顛覆了明末以來目錄書重視著錄宋元舊槧的做法，葉德輝在《觀目》的這種做法，在清代目錄學史上可以說是頗為前衛的。

---

[35] 葉德輝《書林清話》卷一，〈古今藏書家紀板本〉，民國庚申（1920）觀古堂刊本，頁4下－5上。

[36] 昌彼得《中國目錄學》，頁58。

三

綜合以上的討論，發現《觀目》在體例上，有不少繼承與創新的地方。它將劉向《別錄》中「篇目」的體例簡化為「卷目」的著錄；對劉歆《七略》中的「小序」亦有所簡化；擴大尤袤《遂初堂書目》中版本的體例；繼承祁承㸁「通」例，解決了圖書分類的問題。

《觀目》雖欠缺了「敘錄」一項，然其他三項體例仍頗為完備（雖然其中已有所變化）。因此，目錄學之「辨章學術，考鏡源流」的功用在《觀目》中仍可以得到發揮，這是《觀目》在編目學上的一項成就，故葉德輝的編目學是值得我們發揚和效法的。

柒、葉德輝對宋元舊槧和明清善刻的價值的體會與認識

葉德輝觀古堂藏書的一大特色是重視明清近刻的收藏，這種重視明清近刻的藏書觀在當時可說是相當新穎的。這是因爲較他稍前和同時的藏書家一般仍有佞宋嗜元，而鄙夷明清近刻的藏書觀。藏書家重視宋元舊槧，是由於在書品上至為精細考究，在內容上也較接近舊時面貌。葉德輝所以不像一般藏書家那樣重視宋元舊槧的收藏，而傾心於他們所不屑收藏的明清近刻的收集，除了是出自他對明清近刻價值的深刻體會和認識外，一些外在而無法控制的客觀因素也起著一定的作用。

本篇討論葉德輝對宋、元、明、清四朝圖書版本價值的體會和認識。首先探討佞宋嗜元藏書觀的萌芽與發展，接著討論葉德輝對宋元舊槧的價值的體會與認識，也說明葉德輝對那些佞宋嗜元的藏書家極爲反感的原因。緊接著探討葉德輝對明清善刻的價值的體會和認識。最後探討葉德輝重視明清善刻的客觀因素。

一、佞宋嗜元藏書觀的萌芽與發展

宋板書傳至清代已成稀世之寶，無論賞鑑家、藏書家還是學問家，都對它們格外垂青，趨之若鶩。黃丕烈（1763－1825）號稱藏百部宋版書，曾作《百宋一廛賦》以記之，並自號「佞宋主人」，以示愛宋若癡。楊以增（1787－1855）收藏四部宋版經書以及四部宋版史書，便另闢「四經四史之齋」別貯之，以示惜宋之珍。陸心源（1834－1894）號稱珍藏兩百部宋版書，便顏其室曰「皕宋樓」。

中國的雕版印刷技術，大約始於唐，盛於兩宋，沿襲於元、明、清。雕版書籍雖在唐代已肇其端，但僅是以印刷技術替代手寫技術的簡單嘗試，並不普遍。五代時政府採用了這種技術，但由於戰亂頻仍，朝代更替不迭，這一技術亦未得到充分的發展。宋代立國以後，長期推行重文輕武的政策，為雕版印書技術的發展和雕版印書事業的繁榮創造了良好的社會條件，其刻書之多，雕鏤之廣，版印之精，流通之寬，都堪稱前所未有。宋代刻書，多以唐時舊本為依據，因而在文字內容上接近舊時面貌，學術價值自然就較高。而於宋人著述，則是當代人刻印當代作品，更保留了原作的精神面貌，學術價值自然就更高。這是後人，特別是學問家珍視宋本書的原因。❶所以講究版本的人，便把宋本書看成稀世之寶。盧文弨（1717－1796）在〈書吳萘里所藏宋本《白虎通》後〉指出：

---

❶ 李致忠《宋版書敘錄》，〈自序〉（北京：書目文獻出版社，1994），頁 1－2。

書所以貴舊本，非謂其概無一偽也。近世本未經校讎者，頗賢於舊本；然專輒妄改者，亦復不少。即如《九經》小字本，吾見南宋本已不如北宋本；明之錫山秦氏本，又不如南宋本；今之翻秦本者，更不及焉。以斯知舊本之為可貴也。❷

這裡指出了印刷較早的書籍，錯誤要比較少些；即使其中不免有些錯誤，也比較容易發現。所以顧廣圻（1770－1839）在〈《韓非子識誤》序〉中說：「宋槧之誤，由乎未嘗改故，誤之跡往往可尋也。」❸黃丕烈在跋《武林舊事》六卷也說：「校勘群籍，始知書舊一日，則其佳處猶在，不致為庸妄人刪潤，歸於文從字順，故舊刻為佳也。」❹嚴可均（1762－1843）在〈書宋本《後周書》後〉也說：「書貴宋元本者，非但古色古香，閱之爽心豁目也；即使爛壞不全，魯魚彌望，亦仍有絕佳處，略讀始能知之。」❺

陳乃乾〈與胡樸安書〉也有這樣一段話：

---

❷ 盧文弨《抱經堂文集》卷十二，〈書吳葵里所藏宋本《白虎通》後〉，見《抱經堂叢書》冊 94（北京：直隸書局，1923），頁 7 上。

❸ 顧廣圻《思適齋集》卷九，〈《韓非子識誤》序〉，見《春暉堂叢書》冊 3，清道光二十二年（1841）上海徐氏寒木春華館刊本，頁 6 上。

❹ 黃丕烈著，潘祖蔭輯，周少川點校《士禮居藏書題跋記續》卷二，〈《武林舊事》六卷跋〉（北京：書目文獻出版社，1989），頁 61。

❺ 嚴可均《鐵橋漫稿》卷八，〈書宋本《後周書》後〉，見《中國學術名著第六輯．文學名著第六輯》冊 25（臺北：世界書局，1964），頁 6 下。

嘗謂古書多一次翻刻，必多一誤。出於無心者，「魯」變為「魚」，「亥」變為「豕」，其誤尚可尋繹。若出於通人臆改，則原本面目盡失。宋、元、明初諸刻，不能無誤字。然藏書家爭購之，非愛古董也；以其誤字皆出於無心，或可尋繹而辨之，且為後世所刻之祖本也。校勘古書，當先求其真，不可專以通順為貴。古人真本，我不得而見之矣；而求其近於真者，則舊刻尚矣。❻

這段話總結了過去學者們珍重宋元舊本的原因。

宋代刻書，對書品也極為考究。一般都是開本鋪陳，行格疏朗，字體端莊，刀法剔透，印紙瑩潔，墨色青純，且版面設計精細，前期刻書，白口，四周單邊者多；中期白口，左右雙邊者多；後期出現細黑口，仍是左右雙邊者多。版心出現單魚尾或雙魚尾，上魚尾上方出現象鼻，象鼻處鐫印本版大小字數。版心下鐫印刊工姓名。魚尾之間鐫印書名簡稱、卷第、頁碼。欄外多有耳題，後期刻書還出現句讀與圈發。這種精細考究的書品，非但其本身具有較高的藝術價值，還成為後世刻書的楷模風範，影響中國上千年的刻書風格。❼

由於宋刻精良，紙墨、刀法、字體都很講究，加上宋刻由於在時空上離古代較明清來得近，故在內容上也較接近原書，可信度較高，故後世藏書家遂有重視舊刻，鄙夷新刊的思想出現。如

---

❻ 陳乃乾〈與胡樸安書〉，見胡樸安編輯《國學彙編》第一集（臺北：國學研究社，1972），頁 73－74。

❼ 李致忠《宋版書敘錄》，〈自序〉，頁 3。

南宋尤袤《遂初堂書目》，臚載舊監本、秘閣本、杭本、舊杭本、越本、越州本、江西本、吉州本、嚴州本、湖北本、川本、池州本、京本、高麗本，而南宋盛行之建本、婺州本，卻一律不載，其輕視通常習見之本可知。又據《遜志堂雜鈔》記載，明嘉靖中朱起士大韶，性好藏書，尤愛宋時鏤刻，訪得吳門故家有宋槧袁宏《後漢記》，是陸放翁、劉須溪、謝疊山三先生手評，飾以古錦玉籤，遂以一美婢易之。婢臨行題詩於壁曰：「無端割愛出深閨，猶勝前人換馬時。他日相逢莫惆悵，春風吹盡道旁枝。」❽葉德輝以為以美婢易佳刻乃大煞風景之舉，他評論說：「夫以愛妾美婢換書，事似風雅，實則近於殺風景。此則佞宋之癖，入於膏肓，其為不情之舉，殆有不可理論者矣。」❾在他看來，「佞宋」達到這種程度已為不近人情，不可理喻。

嘉靖之間，偏嗜宋元舊刻的風氣在藏書家和士大夫中並未形成普遍的現象。這種風氣到了清朝才開始形成一股風氣。葉德輝在〈藏書偏好宋元刻之癖〉中提到這種情況時說：

> 自錢牧齋、毛子晉先後提倡宋元舊刻，季滄葦、錢述古、徐傳是繼之，流於乾嘉，古刻愈稀，嗜書者眾，零篇斷葉，寶若球琳，蓋已成為一種漢石柴窯。雖殘碑破器，有不惜重貲以購者矣。昔曹溶序《絳雲樓書目》云：「予以後

---

❽ 吳翌風《遜志堂雜鈔》庚集，見《槐廬叢書》五編第 76 冊，清光緒十三年（1887）吳縣朱氏槐廬家塾刊本，頁 3。

❾ 葉德輝《書林清話》卷十，〈藏書偏好宋元刻之癖〉，民國庚申（1920）觀古堂刊本，頁 28 下。

進事宗伯，而宗伯相待絕款曲。每及一書，能言舊刻若何，新板若何，中間差幾何，驗之纖悉不爽。然太偏性，所收必宋元版，不取近人所刻及鈔本。雖蘇子美、葉石林、三沈集等，以非舊刻不入目錄中。」倦圃所言，切中其病。先族祖石君公，癖性亦同。徐乾學作公傳云：「所好書與世異，每遇宋元鈔本，雖零缺單卷，必重購之。世所常行者勿貴也。」《黃記》，宋刻本《聖宋文選》云：「近日陽湖孫觀察淵如，謂當取家藏宋刻書，盡加塗抹。蓋物既殘毀，時尚弗屬焉。或以不材終其天年，理固然也。」按孫、黃二人持論，誠為過激之談，然其癖好宋本之心，亦云至矣。❿

自從錢謙益（1582－1664）、毛晉（1598－1659）提倡宋元舊刻以來，季滄葦（1630－？）、錢曾（1629－1701）、徐乾學（1631－1694）更加推波助瀾，流於乾嘉，佞宋之風猶熾，至民國仍不衰歇。滎陽道主人〈汲古閣主人小傳〉說毛晉「性嗜卷軸，榜於門曰：有以宋刻本至者，門内主人計葉酬錢，每葉二百；有以舊抄本至者，每葉出四十。」⓫据記載，「黃蕘圃每於除夕，布列家藏宋本經史子集，以花果名酒酬之。翁自號佞宋老人」⓬。黃丕烈

❿ 葉德輝《書林清話》卷十，〈藏書偏好宋元刻之癖〉，頁 27 下－28 上。

⓫ 鄭德懋輯《汲古閣校刻書目》，滎陽道主人〈汲古閣主人小傳〉，見《叢書集成續編》冊 71（上海：上海書店，1994），頁 713。

⓬ 徐康《前塵夢影錄》卷上，見《叢書集成初編》（上海：商務印書館，1935），頁 26。

佞宋是很出名的，當時就有「今天下好宋版者，未見如蕘圃者也」的說法。⓭黃丕烈自己曾說過：「余生平無他嗜好，於書獨嗜好成癖，遇宋本苟力可勉，無不致之以爲快」⓮。他還自稱是「惜書而不惜錢」的「書魔」，「遇一善本，不惜破產購之」⓯。他積數十年心血，收得宋本百餘種，築室貯之，題額「百宋一廛」，一時翹居群楚，稱雄海內。

對黃丕烈「佞宋」持異議的甚多。批評之一，認爲他「第求精本，獨嗜宋刻」，「作者之旨意縱未盡窺，而刻書之年月最爲深悉」⓰，只是對版本外觀形式的鑑賞，算不上什麼學問家。批評之二，認爲他「動稱宋刻，不知即宋亦有優有劣」，是「陷於絕對化」的盲目迷信。⓱批評之三，認爲他「是把宋元刻本書當作古董來玩，看成奇貨可居，距離為讀書而求書、藏書的作法，也就太遙遠了」。⓲實際上，黃丕烈「佞宋」並非只是鑑賞而已。正如清代著名學者王芑孫在〈黃蕘圃陶陶室記〉中說：「蕘圃非惟好

⓭ 王芑孫〈黃蕘圃陶陶室記〉，見《中國歷代國家藏書機構及名家藏讀敘傳錄》（北京：北京大學出版社，1997），頁 399。

⓮ 黃丕烈著，潘祖蔭輯，周少川點校《士禮居藏書題跋記》卷五，跋〈宋刻本《三謝詩》一卷〉（北京：書目文獻出版社，1989），頁 187。

⓯ 石韞玉《獨學齋四稿》文卷五，石韞玉〈秋清居士家傳〉，見《續修四庫全書》冊 1467（上海：上海古籍出版社，1995），頁 1。

⓰ 洪亮吉《北江詩話》卷三，見《叢書集成初編》（上海：商務印書館，1935），頁 29。

⓱ 來新夏《古典目錄學淺說》（北京：中華書局，1981），頁 189。

⓲ 張舜徽《中國文獻學》（鄭州：中州書畫社，1982），頁 57。

之，實能讀之。其於版本之先後，篇第之多寡，音訓之異同，字畫之增刪，及其授受源流，翻摹本末，下至行幅之疏密廣狹，裝綴之粗細敞好，莫不心營目識，條分縷析。」⑲進而論之，在版本形式與版本內容兩者之間，黃丕烈看重的是後者而不是前者。他認爲：「凡書不為細校一通，第就外面觀之，謂某本勝某本，此非定論也。」⑳又說：「既而校勘群籍，始知書舊一日，則其佳處猶在，不致為庸妄人刪潤，歸於文從字順，故舊刻為佳也。」㉑這就清楚表明，黃丕烈是主張以校對版本內容異同為判定版本優劣的主要標準，並根據這個標準得出宋版優於後刻版本的一般規律，因此特別愛收藏宋版書。

士大夫中有一等人，趨附時尚，不懂裝懂，如明代的朱大韶，清代的王鼎丞，才是真正的「把宋元刻本當作古董來玩，看成奇貨可居」的人，而且後者的無知比前者更爲典型。清人陳其元（1811－1881）《庸閑齋筆記》說：

> 今人重宋版書，不惜以千金數百金購得一部，則什襲藏之，不特不輕示人，即自己亦不忍數繙閱也。余每竊笑其痴。崑山令王鼎丞刺史定安，酷有是癖。嘗買得宋槧《孟子》，擧之誇余。余請一觀，則先負一櫝出，櫝啟，中藏一

---

⑲ 王芑孫〈黃蕘圃陶陶室記〉，頁 399。

⑳ 黃丕烈著，潘祖蔭輯，周少川點校《士禮居藏書題跋記》卷三，跋〈校舊鈔本《衍極》五卷〉，頁 106。

㉑ 黃丕烈撰《士禮居藏書題跋記續》卷上，跋明刻本《武林舊事》六卷，見《叢書集成初編》冊 53（上海：商務印書館，1936），頁 7。

楠木匣，開匣，乃見書。書紙、墨亦古，所刊字畫，亦無異於今之監本。余問之曰：「讀此可增長智慧乎？」曰：「不能。」「可較別本多記數行乎？」曰：「亦不能。」余笑曰：「然則不如仍讀我監本，何必費百倍之錢以購此也！」王恚曰：「君非解人，不可共君賞鑑。」急收弃之。余大笑去。㉒

像王鼎丞這種趨附時尚，對宋元舊槧的認識似懂非懂，盲目追求這些「珍祕」的人在當時大有人在。

二、葉德輝對宋元舊槧和明清善刻的價值的體會與認識

葉德輝對宋元舊槧持著什麼樣的態度呢？葉德輝對宋本的價值可說有深刻的體會。他在《清話》中曾不厭其煩的強調宋本的藝術價值，在〈宋刻書著名之寶〉中說：

宋板書自來為人珍貴者，一《兩漢書》，一《文選》，一《杜詩》，均為元趙文敏松雪齋故物。《兩漢書》牒文前葉有文敏小像，明時歸王弇州世貞，跋稱班、范二《漢書》，桑皮紙白潔如玉，四傍寬廣。字大者如錢，絕有歐、柳筆法，細書絲發膚致，墨色精純，奚潘流沈。蓋自真宗朝刻之秘閣，特賜兩府，而其人亦自寶惜，四百年而手若未觸者。當是吳興家物，入吳郡陸太宰，又轉入顧光祿，失一

㉒ 陳其元《庸閑齋筆記》卷八，〈重宋板書之無謂〉（北京：中華書局，1997），頁 179。

> 莊得之，後歸錢氏絳雲樓。……（《兩漢書》）乾隆時進入內府，甲子御題云：「雕鐫紙墨，並極精妙，實為宋本之冠。」……亦有弇州跋云：「余所見宋本《文選》，亡慮數種，此本繕刻極精。紙用澄心堂，墨用奚氏……流傳至今僅三百年，而卷帙宛然。……」又董其昌跋云：「……其鐫手於整齊之中寓流動之致，洵能不負佳書。至於紙質如玉，墨光如漆，無不各臻其妙，在北宋刊印中亦為上品。」乾隆御題云：「此書董其昌所稱與《漢書》、《杜詩》鼎足海內者也。紙潤如玉，南唐澄心堂法也，字跡精妙，北宋人筆意。《漢書》見在大內，與為連璧，不知《杜詩》落何處矣。」按《天祿琳琅》目載宋版書甚多，而御題又云若此者亦不多得。嘉慶二年，武英殿災，目載之書同歸一燼。神物久歸天上，留此題跋，可見宋本書之精妙。㉓

葉德輝引用乾隆（愛新覺羅·弘曆，1711－1799）、王世貞（1526－1590）、董其昌（1555－1636）等人序跋說明宋版書在紙墨、刀法、字體等在形式上的講究。葉德輝在〈宋刻書紙墨之佳〉中說：

> 先文莊公《水東日記》十四云：「宋時所刻書，其匡廓中摺行中，上下不留黑牌。首則刻工私記本板字數，次書名，次卷第數目，其末則刻工姓名以及字總數。余所見當時印本書如此。浦宗源郎中家有《司馬公傳家集》，往往皆然。

㉓ 葉德輝《書林清話》卷六，〈宋刻書著名之寶〉，頁11下－13下。

> 又皆潔白厚紙所印，乃知古人於書籍，不惟雕鐫不苟，雖摹印亦不苟也。」明高濂《燕閒清賞箋》論藏書云：「藏書以宋刻為善，宋人之書，紙堅刻軟，字畫如寫，格用單邊，間多諱字。用墨稀薄，雖著水濕燥無湮跡。開卷一種書香，自生異味。元刻仿宋，單邊，字畫不分粗細，較宋邊條闊多一線，紙鬆刻硬，用墨穢薄，中無諱字，開卷了無臭味。有種官券殘紙，背印更惡。宋板書以活襯紙為佳，而蠶繭紙、鵠白紙、藤紙固美，而存遺不廣，若粘褙宋書則不佳矣。」孫從添《藏書紀要》云：「若果南北宋刻本，紙質羅紋不同，字畫刻手古勁而雅，墨氣香淡，紙色蒼潤，展卷便有驚人之處。所謂墨香紙潤，秀雅古勁，宋刻之妙盡之矣。」㉔

葉德輝引用葉盛（1420－1474）、高濂、孫從添等人對宋版書所作評論說明宋版書紙墨之精良。

對於元刻，葉德輝也給予極高的評價。他在〈元刻書勝於宋本〉中指出：

> 宋本以下，元本次之。然元本源出於宋，故有宋刻善本已亡，而幸元本猶存。勝於宋刻者，經則元元貞丙申平陽梁宅本《論語註疏》，勝於宋十行本也。元大德平水曹氏進德齋本《爾雅郭璞音註》，勝於明吳元恭所從出之宋本也。史則元大德九年重刊宋景祐本《後漢書》，勝於宋建安劉元起

㉔ 葉德輝《書林清話》卷六，〈宋刻書紙墨之佳〉，頁 17 下－18 上。

之本也。子則元大德本《繪圖烈女傳》，勝於阮氏文選樓所據刻之余氏勤有堂本也。元刻《纂圖互註揚子法言》，勝於宋治平監本也。集則元大德本《增廣音註丁卯詩集》，勝於宋版也。元張伯顏刻《文選李善註》，勝於南宋尤袤本也。元延祐庚申葉曾南阜書堂刻本《東坡樂府》，勝於宋紹興辛未曾慥刻本也。舉此數者以概其餘，是不當震於宋刻之名，而謂元明皆自檜以下也。㉕

葉德輝舉出幾部勝於宋刻的元刻，包括元元貞丙申平陽梁宅本《論語註疏》、元大德平水曹氏進德齋本《爾雅郭璞音註》、元大德九年重刊宋景祐本《後漢書》、元大德本《繪圖烈女傳》、元刻《纂圖互註揚子法言》、元大德本《增廣音註丁卯詩集》、元張伯顏刻《文選李善註》、元延祐庚申葉曾南阜書堂刻本《東坡樂府》等。通過以上的說明，葉德輝重視元刻的軌跡是明顯的。

元刻所以珍貴，是由於不少元刻多出自名手繕寫。葉德輝在〈元刻書多名手寫〉中說：

元刻字體有倩名手書者，《天祿琳琅》五元板史部，《山海經》十八卷，云：「字仿歐體，用筆整嚴，在元刻中洵為善本。」乾隆御題云：「是本筆法，刻畫清峭，當為元版之佳者。」又《後編》十一，元版集部，曾鞏《元豐類稿》五十卷，云：「書法槧手，俱極古雅，麻紙濃墨，摹印精工，為元刻上乘。」又《歐陽文忠公集》一百五十三卷：「槧法

㉕ 葉德輝《書林清話》卷七，〈元刻書之勝於宋本〉，頁1。

精朗，紙墨俱佳，元版中甲觀。」陸《續跋》元槧周伯琦《六書正訛》五卷：「每葉八行，篆文約占小字六格，小字雙行，每行二十字，篆文圓勁，楷書道麗，蓋以伯溫手書上版者。」又元刊楊桓《書學正韻》三十六卷：「分韻編排，先篆次隸省，次訛體，條理周詳，字畫端整。」又元刊楊桓《六書統》二十卷、《六書溯源》十三卷，《瞿目》云：「桓夙工篆籀，全書皆其手寫，故世特重之。」……此類元刻，其工者足與宋槧相頡頏，特以時代論，不免有高下之見耳。㉖

葉德輝援引前人題跋例舉出自名手繕寫的元刻來說明這些書籍在字體方面的講究。這些出自名手繕寫的刻本，其工足以與宋槧相頡頏。

葉德輝對宋元舊槧的評價極高，本身亦藏有宋元舊槧，雖然在數量無法和所藏明清善刻的數量比較，但我們至少知道葉德輝對宋元舊槧是不存反感的。至於真正令葉德輝反感的，是自清初以來藏書家侈言宋元舊刻而引以為豪，卻不知鑑別的歪風。《清話》中多處指出這種陋習以及由此引起的作偽詐騙的惡風。

葉德輝在〈近人藏書侈言宋刻之陋〉中指責清人藏書侈言宋刻之陋習，他說：

藏書固貴宋元本以資校勘，而亦何必虛偽。如近人陸心源之以皕宋樓，自誇有宋本書二百也。然析《百川學海》之

㉖ 葉德輝《書林清話》卷七，〈元刻書多名手寫〉，頁3下－4下。

各種，強以單本名之，取材亦似太易。況其中有明仿宋本，有明初刻似宋本，有誤元刻為遼金本，有宋板明南監印本。存真去偽，合計不過十之二三。自欺欺人，毋乃不可。至宜都楊守敬，本以販鬻射利為事，故所刻《留真譜》及所著《日本訪書志》大都原翻雜出，魚目混珠。蓋彼將欲售其欺，必先有此二書，使人取證，其用心固巧而作偽益拙矣。[27]

以上一則以陸心源皕宋樓為例，指出一些藏書家為了誇耀所藏宋元舊槧的豐富，往往把假的說成真的，企圖通過「報大數」來炫耀自己的宋元舊槧收藏。嚴格說來，這些藏書家所藏宋元舊槧往往不過是他們所呈報的數目的十分之二、三而已。葉德輝在這裡也指出楊守敬為了商業上的利益，將「原翻雜出」的書籍都收錄在所刻《留真譜》及所著《日本訪書志》這兩部指引人們買書的參考書，來達到魚目混珠的目的。深一層思考，所以會有「報大數」和用偽刻來冒充原刻的現象，全是肇自佞宋嗜元的歪風。

葉德輝在〈經解單行本之不易得〉中說：

藏書大非易事，往往有近時人所刻書，或僻在遠方，書坊無從購買；或其板為子孫保守，罕見印行。吾嘗欲遍購前續兩《經解》中之單行書，遠如新安江永之經學各種，近如遵義鄭珍所著遺書。求之二十餘年，至今尚有缺者。可知藏書一道，縱財力雄富，非一驟可以成功。往者見張惠

[27] 葉德輝《書林清話》卷十，〈近人藏書侈言宋刻之陋〉，頁8。

> 言《儀禮圖》、王鳴盛《周禮田賦說》、金榜《禮箋》等書，久而始獲之，其難遇如此。每笑藏書家尊尚宋元，卑視明刻，殊不知百年以內之善本，亦寥落如景星。皕宋千元，斷非人人所敢居矣。㉘

葉德輝以自己的經驗來說明藏書之道，非單憑財力雄厚就可以成功，往往需要依靠幾分運氣不可。葉德輝在這裡譏笑崇尚宋元，卑視明刻之人，尚不自覺百年以內的善本已寥若晨星，仍舊花費大量力氣追求，以求達到皕宋千元的境界。

雖然宋元舊槧日漸寥落，但追求此道的人仍舊不少。宋元舊槧於是在藏書家的搶購下，致使其身價有日益膨脹的趨勢。葉德輝在〈宋元刻本歷朝之貴賤〉中說：

> 宋元刻本，在明時尚不甚昂貴。觀毛扆《汲古閣珍藏秘本書目》所列之價目，在今日十倍而廉矣。中如宋版影鈔李鼎祚《周易集解》十本，價五兩。元板《周易兼義》八本，價四兩。綿紙抄本《禮記集說》四十二本，價二十兩。名人墨抄，如秦酉岩手抄《太和正音譜》二本，價二兩。周公謹弁陽山房抄本《絳帖平》二本，價一兩二錢。其餘一二本之抄本，皆三錢五錢。其中最貴者，宋板影抄《杜工部集》十本，價三十兩。《宋詞一百家》精抄，價一百兩。然宋詞一家合一兩，乃不為貴。……若以書目所載

㉘ 葉德輝《書林清話》卷九，〈經解單行本之不易得〉，頁 19 下－20 上。

數目論之，則售出時固未嘗一索高值也。大抵明時宋元本書，本不十分昂貴。……國初康熙時書價漸貴。王士禎《分甘餘話》二云：「趙承旨家宋槧前後《漢書》，錢牧齋大宗伯以千二百金購之新安賈人，後售於四明謝氏，後又歸新鄉張司馬坦公。康熙中有人攜至京師，索價甚高，真定梁蒼岩大司馬酬以五百金，不售攜去，後不知歸誰何矣。」又《居易錄》云：「《通鑑紀事本末》，宋刻大字，有尚寶司卿柳莊袁忠徹家藏印及陸子淵、項子京諸印。浙江人攜至京師，索價百二十金，留二日而還之。」錢遵王《敏求記》云：「李誡《營造法式》三十六卷，以四十千從馮魚山購歸。」《黃記》：「《賓退錄》十卷校宋鈔本，王聞遠跋：『今康熙六十有一年歲壬寅孟夏，書估王接三持宋槧五冊來，索價十金，無力購之。』」……此由國初至康熙末年書價之可考者。[29]

以上引文說明宋元刻本的價錢隨著時代的愈晚，流傳的愈少，價錢也隨之愈高。這是自明到清康熙末年的情形。這種情形發展到了乾嘉時期非但沒有改善，反而因為「有力者」的勤力收藏，「其價已過康熙時十倍」。葉德輝參考了諸家題跋後，整理出一些宋元刻本在乾嘉時期的「叫價」。[30]試舉以下幾部古籍的價錢為例：

宋板《春秋繁露》十七卷　一百兩

---

[29] 葉德輝《書林清話》卷六，〈宋元刻本歷朝之貴賤〉，頁 23－25 上。
[30] 同上註，頁 25 上－26。

朱竹垞曝書亭藏本《輿地廣記》三十六卷	一百二十兩
宋本《吳郡圖經續記》三卷	五十兩
宋刻《歷代紀年》十卷	二十兩
殘宋本章衡《編年通載》四卷	四十兩
宋余仁仲《公羊解詁》十二卷	一百二十兩
宋本孟元老《東京夢華錄》十卷	二十四兩
宋本《新序》十卷並宋小字本《列子》八卷	八十兩
北宋本《說苑》二十卷	三十兩
宋本《管子》二十四卷	一百二十兩
宋本《史載之方》二卷	三十兩

通過以上的例子，我們發現宋刻到了乾嘉時期的市價已有顯著提升。到光緒年間，「宋板書本日希見」，在時人的眼裡宋刻已成為古董，價格繼續往上爬升。據葉德輝見聞所及，張之洞以三百金購宋板《詩經朱子集傳》、徐梧生以三百金購北宋本《周易正義》。「北京拳變以後，舊本愈稀」，葉德輝聽說京師書估以五百金的高價售出李壁《雁湖集》，又聽說「貴池劉某以番餅四百圓得汲古舊藏宋本《孔子家語》；縣人袁思亮以三千金購宋牧仲翁潭溪所校殘宋本《施註蘇詩》」。在葉德輝的眼裡，這些人收購古書根本不是出自對古書的由衷愛好，他們收購古書的目的有二：一是為了「鬧富爭奇」，向人們炫耀他們的財力，二是「視古書如古玩」，

把這些古書看成是投資的物品，這些人是葉德輝所不屑的。[31]

與此同時，古書一旦成為商品，價值規律就必然發生作用。一切在市場上通常出現的現象也必然在書市上反映出來。古刻愈稀，零篇殘頁，寶若珠琳，本是自然之理；再加上一些佞宋派哄抬市價，爭相搶購，就造成書賈有利可圖，乘機假造宋版書以投其所好。葉德輝在〈坊估宋元刻之作偽〉中反映了偏嗜宋元刻本之風帶來書估作偽的惡風。他說：

> 自宋本日希，收藏家爭相寶貴，於是坊估射利，往往作偽欺人。變幻莫測，總之不出以明翻宋板剜補改換之一途。或抽去重刊書序，或改補校刊姓名，或偽造收藏家圖記，鈐滿卷中，或移綴真本跋尾題簽，掩其贋跡。就《天祿琳琅》所辨出者，已有十餘種之多。蓋貢之尚方之時，人人如野人之獻芹。初未嘗有所區別，及經諸臣鑑別，而後涇渭分明。今悉載之，藏書家當取為秦宮鏡矣。[32]

據葉德輝的考察，偽造宋元舊刻的手段不外有以下幾種：(一) 抽去重刊書序；(二) 改補校刊姓名；(三) 偽造收藏家圖記，鈐滿卷中；(四) 移綴真本跋尾題簽，掩其贋跡。以上所舉，僅僅是舊書肆作僞的其中幾種手段。一些作僞手法的高超，是一般人所無

---

[31] 同上註，頁 27。

[32] 葉德輝《書林清話》卷十，〈坊估宋元刻之作偽〉，頁 1 下－2 上。

法想像的。㉝這種僞造的書籍，除非是內行人，一般凡夫俗子是無法識別的。作偽現象的流行，所造成的混亂是可想而知的。特別對一般學子而言是大為頭痛的問題，他們可能因為鑑別能力有限，無法知道所據的本子是真是偽，因而無所適從，這對學術的研究肯定起負面影響。

據過去學者的觀察，宋刻除了有錯字、有脫句，也有經刻書之人任意增損的地方。如果認爲舊本書一無謬誤，那就必然會犯嚴重的錯誤。首先我們必須明白宋代版本很複雜，有如杭世駿（1697－1772）《道古堂集》卷十八〈欣托齋藏書記〉所云：

> 今之挾書以求售者動稱宋刻，不知即宋亦有優有劣，有太學本，有漕司本，有臨安陳解元書棚本，有建安麻沙本，而坊本則尤不可更僕以數。㉞

這裡所例舉的版本，還只是宋本中的一部分。其中麻沙本為最劣，而流佈最廣。由於刻印過多，僞文脫字，所在皆是。在宋代時，便有人十分鄙棄。陸游（1125－1210）《老學庵筆記》卷七說：

㉝ 關於書估作僞的手段，可參閱屈萬里、昌彼得〈書估作僞〉，見學海出版社選輯《中國圖書版本學論文選輯》（臺北：學海出版社，1981），頁 167-173。

㉞ 杭世駿《道古堂文集》卷十九，〈欣托齋藏書記〉，見《續修四庫全書》冊 1426，頁 396。

> 三舍法行時，有教官出《易》義題云：「乾為金，坤又為金，何也？」諸生乃懷監本《易》至簾前請云：「……先生恐是看了麻沙本，若監本則『坤為釜』也。」㉟

周煇《清波雜誌》卷八也說：

> 印版文字，訛舛為常。蓋校書如掃塵，旋掃旋生。……若麻沙本之差舛，誤後學多矣。㊱

這都是宋人的可靠實錄。陸游更在〈跋歷代陵名〉中深切地指斥道：

> 近世士大夫所至，喜刻書版，而略不校讎，錯本書散滿天下，更誤學者，不如不刻之為愈也。㊲

這又是何等痛惡之情！宋本書所以存在許多舛誤，歸納起來，不外兩個來源：一是刻書時所造成的訛謬；一是校書時所遺留下來的損害。清代學者曾一一指出來了。顧廣圻《思適齋集》卷十〈重刻《古今說海》序〉云：

> 南宋時，建陽各坊刻，刻書最多。每刻一書，必倩雇不知誰何之人，任意增刪換易，標立新奇名目，冀以衒價，而古書多失其真。㊳

㉟ 陸游《老學庵筆記》卷七，見《四庫筆記小說叢書》（上海：上海古籍出版社，1993），頁 62。

㊱ 周煇《清波雜誌》卷八，見《四庫筆記小說叢書》，頁 57。

㊲ 苗洪選註《陸放翁小品》，陸游〈跋歷代陵名〉（北京：文化藝術出版社，1997），頁 151。

這種後果，自然應由刻書者負責的。其次如盧文弨《抱經堂文集》卷二〈重雕《經典釋文》緣起〉所說：

> 今之所貴於宋本者，謂經屢寫則必不遠前時也。然書之失真，亦每由於宋人。宋人每好逞臆見而改舊文。如陸氏雖吳產，而其所彙集前人之音，則不盡吳產也。乃毛居正著《六經正誤》一書，譏陸氏偏於土音，因輒改他字以易之。後人信其說，遂以改本書矣。[39]

這樣的結果，自然應由校書者負責的。由此可見宋代的刻書者和校書者，給書籍帶來的損失，確是不小。宋本如此，元刻可知。我們今天沒有理由把宋元舊槧看成一無訛誤的本子。

葉德輝對宋元舊槧極為重視，然沒有淪為盲目的崇拜。經過他的精心考證後，發現宋刻書也並非全無謬誤的。他在〈宋刻書多訛舛〉中說：

> 王士禎《居易錄》二云：「今人但貴宋槧本，顧宋板亦多訛舛，但從善本可耳。如錢牧翁所定《杜集》『九日寄岑參』詩，從宋刻作『兩腳但如舊』，而注其下云：『陳本作雨。』此甚可笑。《冷齋夜話》云：老杜詩『雨腳泥滑滑』，世俗乃作『兩腳泥滑滑』。此類當時已辨之，然猶不如前句之必不可通也。」吾謂不特此也。如盧文弨《抱經堂文集》所跋《白虎建德論》，宋刻二卷本，開卷即訛「通

[38] 顧廣圻《思適齋集》卷十，〈重刻《古今說海》序〉，頁 13 下。
[39] 盧文弨《抱經堂文集》卷二，〈重雕《經典釋文》緣起〉，頁 18 上。

> 德」為「建德」。《陸志》載宋刻任淵注《山谷黃先生大全詩注》二十卷，前序稱「紹興鄱陽許尹敘」，紹興下脫年月，均為可笑。又《陸跋》宋本《王右丞集》十卷云：「卷六末有跋，凡七十餘字，為元以後刊本所無。卷五《送梓州李使君》『山中一半雨』，不作『山中一夜雨』，與《敏求記》所記宋本同。惟卷二《出塞作》，脫二十一字，不免白璧微瑕耳。」然如此類，豈僅微瑕，實為大謬。《錢日記》載宋蔡夢弼刻《史記》，目錄後題識，稱「乾道七月春王正上日書」，七月「月」字，為年之訛。《繆續記》載宋阮仲猷種德堂本《春秋經傳集解》，前牌子方印文「了無窒礙」，窒誤作「室」。此雖小誤，則其校讎不善可知，且又安知書中如此類者，不為佞宋者所諱言乎！古今藏書家奉宋槧如金科玉津，亦惑溺之甚矣。㊵

葉德輝援引前人的考證以及自己的觀察指出宋刻書在字句上的訛誤。他在〈宋刻書字句不盡同古本〉中說：

> 藏書貴宋本，人人知之矣。然宋本亦有不盡可據者。經如《四書朱注》本，不合於單注單疏也。其他《易程傳》、《書蔡傳》、《詩集傳》、《春秋胡傳》，其經文沿誤，大都異於唐、蜀《石經》及北宋蜀刻。宋以來儒者但求義理，於字句多不校勘。其書即屬宋版精雕，只可為賞玩之資，不足供校讎之用。南宋刻書最有名者，為岳珂相臺家塾所刻

㊵ 葉德輝《書林清話》卷六，〈宋刻書多訛舛〉，頁14下－15上。

> 《九經三傳》，別有《總例》，似乎審定極精，而取唐、蜀《石經》校之，往往彼長而此短。故北宋蜀刻諸經之可貴者，貴其源出唐、蜀《石經》也。宋本中，建安余氏所刻之書不能高出俗本者，為其承監本、司、漕本之舊也。至於史、子，亦以北宋蜀刻為精，如《史記》、《漢書》、《後漢書》、《三國志》，見於各藏書家題跋所稱引者，固可見其一斑。子如《荀子》，熙寧呂夏卿刻本，勝於南宋淳熙江西漕司錢佃本。《世說新語》北宋刻十行本，注文完全，勝於南宋陸遊本。此固未可概以為宋刻而遂一例視之，不復之辨別也。㊶

葉德輝透過唐、蜀《石經》來和宋本的校勘後，發現有些宋刻如《易》程傳、《書》蔡傳、《詩》集傳、《九經三傳》等和唐、蜀石經在字句上有不盡相同的地方，乃得出「宋刻書字句不盡同古本」的結論。

通過以上的討論，可知葉德輝是肯定宋元舊槧的價值的，特別對講究紙墨、刀法、字體的宋刻讚不絕口的。葉德輝所不滿的，是清人對宋元舊槧的追求超過了極限，變成了一種盲目的追求，以為凡宋元舊槧必佳，養成鄙視近刻和時刻的錯誤觀念。這種觀念一產生，連帶的產生了書估作偽的惡風，市面上參雜著素質良莠不齊的版本，不僅使一般士子無所適從，不知何者是最可信、最可據的本子，也使得文獻工作者的典籍研究工作倍加艱

㊶ 葉德輝《書林清話》卷六，〈宋刻書字句不盡同古本〉，頁 13 下－14。

難。葉德輝通過校讎的手段發現，宋本雖距離原刻的時代較早，在內容上理應最接近原刻，是最可信、最可據的版本。就一般的情形而言，這種說法並沒有不正確的地方。但就少數的情形來說，由於種種外在因素的影響，如刻工的疏忽、校對者的馬虎等，再加上刊印者有意無意的犯錯，使得宋元舊槧在字句也有訛誤的地方。由於一般藏書家非行家法眼，識見不高，對宋元舊槧的收藏只是出於「炫耀財富」和「投資」的目的，對宋元舊槧的內容好壞也就不加辨別，盲目追求，自欺欺人。葉德輝的這種見解，純粹是從學問家的學術的角度來看。因為學問家在看待一部書的好壞時，書的外表形式對他而言是不重要的，最重要的是書的「內在美」，即書的內容是否完整、確實。

在葉德輝看來，一向為清代藏書家和版本目錄學家所忽視的明刻和近刻，其中實不乏珍品。這是因為明刻和清刻無論從內容和書品來說都不會比宋元刻本遜色，有些甚至淩駕宋元刻本之上。葉德輝在《清話》卷五〈明人刻書之精品〉中例舉了明人家刻中之精品，其中包括豐城遊明大升、吳郡沈辨之野竹齋、昆山葉氏箓竹堂、江陰涂禎、錫山安國桂坡館、震澤王延哲恩褒四世之堂、吳郡金李澤遠堂、吳門龔雷、吳郡袁褧嘉趣堂、顧春世德堂、澶淵晁瑮寶文堂、南平游居敬、餘姚聞人詮、金臺汪諒等等的刻書，是「為收藏家向來珍賞」的明刻本。[42]

至於清刻中的珍品，葉德輝在〈國朝刻書多名手寫錄亦有自書者〉中說：

---

[42] 葉德輝《書林清話》卷五，〈明人刻書之精品〉，頁5下－10。

> 國初諸人刻書，多倩名手工楷書者為之。如倪霱為薛熙寫《明文在》，侯官林吉人佶為王士禎書《漁洋精華錄》，為汪琬書《堯峰文鈔》，為陳廷敬書《午亭文編》，常熟王子鴻儀為漁洋書《詩續集》，均極書刻之妙。徐康《前塵夢影錄》云：「乾嘉時，有許翰屏以書法擅名，當時刻書之家，均延其寫樣。如士禮居黃氏、享帚樓秦氏、平津館孫氏、藝芸書舍汪氏以及張古餘、吳山尊諸君，所刻影宋本秘笈，皆為翰屏手書。一技足以名世，洵然。」《錄》又云：「嘉慶中，胡果泉方伯議刻《文選》，校書者為彭甘亭、顧千里，影宋寫樣者為許翰屏，極一時之選。即近時所謂《胡刻文選》也。」……同時，長州有李福為士禮居寫明道本《國語》，吳縣陸損之為士禮居寫汪本《隸釋刊誤》，幸皆於刻本著名，使姓名與書不朽。至黃丕烈寫《季滄葦書目》，余秋室學士集書元周密《志雅堂雜鈔》、金元好問《續夷堅志》、孫承澤《庚子消夏記》、《百衲琴》。許槤寫元李文仲《字鑑》、《六朝文絜》、吳玉搢《金石存》，江元文寫王芑孫《碑版廣例》，顧南雅學士蒓為錢大昕寫《元史藝文志》。初刻初印，直欲方駕宋元。㊸

清代刻書家刊刻典籍時也極為講究字體，多雇傭著名刻工為之，又延請名家校勘，絲毫不馬虎，故清代刻本的價值不會比宋元舊槧低。清刻、時刻所以從內容和書品來說都不遜於宋元刻本，是

㊸ 葉德輝《書林清話》卷九，〈國朝刻書多名手寫錄亦有自書者〉，頁15－16上。

由於自康雍乾嘉以來，「累葉承平，民物豐阜，士大夫優遊歲月，其著書甚勇，其刻書至精，不獨奴視朱明，直可上追天水。」[44]

通過以上討論，知道葉德輝除對宋元舊槧的價值予以肯定外，對明刻和近刻也心存好感。葉德輝之所以不追求宋元舊槧，主要是建立在對明刻、近刻的價值的新理解上。這是因為葉德輝從其版本目錄學以及其他學術研究的過程中，發現明刊、時刻中亦有不少珍品。明刻和清刻在葉德輝眼裡，無論從內容和書品來說都不會比宋元刻本遜色，有些甚至淩駕宋元刻本之上。因為有這樣的認識，葉德輝在搜求典籍的過程中，積極地羅致明刊、時刻中較好的本子，以供自己學術研究之用途。這種觀點反映在其版本目錄學上，是在其藏書目錄和讀書題跋記中著錄和表彰明刊、時刻。葉德輝這種弘揚明清善刻，不迷信古本的藏書和版本學思想無疑的是給予後代藏書家和版本學家樹立了新典範。

三、葉德輝重視明清善刻的原因

實際上，葉德輝之所以重視明刻和近刻甚於宋元刻本，多少有些無可奈何的成分在內。這是因為宋元刻本到了葉德輝的時代已愈來愈稀。晚清距離宋元明時代久遠，在這長時期的歷史長河中，不知經歷了多少天災人禍。以葉德輝生活的晚清而言，就曾經歷了不少內憂外患。

---

[44] 葉德輝《郋園讀書志》卷一，跋嘉慶十年原刻本《儀禮圖》六卷，見《葉德輝集》冊 3，頁 31。

內憂方面對典籍的破壞，葉德輝就曾親身經歷。他在《書林清話》卷九〈吳門書坊之盛衰〉中說：

> 赭寇亂起，大江南北，遍地劫灰。吳門二三百年藏書之精華，掃地盡矣。㊺

葉德輝在這裡指出經動亂以後，吳門兩三百年以來藏書之精華幾一掃而空。以小見大，可見內部動亂對典籍破壞的程度的嚴重。陳登原在《古今藏書聚散考》一書中對自鴉片戰爭以來內憂給典籍的破壞做了詳盡的論述。他說：

> 自乾隆四十七年（一七八二）《四庫》成書以後，下迄道光初年，其間雖有白蓮教、天理教之亂，其間雖有廓爾喀平臺灣等之軍事，然前者，則其範圍不大；後者則偏於對外，故於四庫劫後之圖書，似無多大關係。其與典籍有關者，則道光三十年，洪秀全起兵於廣西之金田是也。㊻

清政府修纂《四庫全書》時，包含禁書毀書的企圖，當時遭禁毀的典籍不少。太平天國起義是自《四庫》完成修纂後另一對典籍破壞極為嚴重的禍患。太平天國起義涉及的範圍有多大呢？又以哪個地區受影響最深呢？陳登原說：

> 洪氏以道光三十年（一八五〇）起兵廣西，及咸豐三年（一八五三）而定南京。同治三年（一八六四），曾國荃攻

㊺ 葉德輝《書林清話》卷九，〈吳門書坊之盛衰〉，頁 25 下。

㊻ 陳登原《古今典籍聚散考》，見《民國叢書》第二輯冊 50（上海：上海書店，1990），頁 233－234。

拔金陵，秀全自殺。蓋擾攘之時，計十五年之多，而被殺之域，亦及十六省之多。又以太平天國定都東南，故所受之兵燹，亦以江浙兩省為甚。江浙固私人收藏之中心也。㊼

這次起義受影響最大的是素為私人藏書中心的江浙地區。至於破壞的程度如何，陳登原亦有論述：

嘗見無名氏之《焚書論》曰：「余生不幸，雖未坑儒，業已焚書，所見者洪逆之亂，所至之地，倘遇書籍，不投之於溷廁，即置之於水火。遂使東南藏書之家，蕩然無存。幸叛逆不久誅滅，故西北所藏之書，猶有見存者。其毒雖流於一時。尚未遍及於天下也。」殊不知自明以來，私人收藏之事業，久已偏於東南。故東南之有兵燹，乃私人收藏事業之大劫焉。㊽

據無名氏《焚書論》所述，東南地區私人藏書經太平天國起義後已「蕩然無存」，所幸這次起義未波及西北地方，尚且保留一部分的典籍。陳登原不盡同意無名氏的說法，他以為自明以來私人藏書事業已偏於東南，幾乎所有重要的私家藏書皆聚集在這個地區。比較起來，其他地區的藏書顯得微不足道。故若這個地區遭兵燹，對私家藏書事業而言是為一場大浩劫。

㊼ 同上註，頁 234。

㊽ 陳登原《古今典籍聚散考》，頁 234。

北方藏書私人事業在太平天國起義期間雖倖免於難，但最後也難逃兵燹的破壞。就以北方私家藏書樓代表的楊氏海源閣來說也擺脫不了遭兵燹破壞的命運。陳登原說：

> 髮匪之在南方也，北方尚有與髮匪相應之捻匪。其起也，遲於太平天國，而其平也，亦較後。
>
> 當日北方藏書，自御府珍秘之外，即集中於山東聊城楊氏之海源閣。……海源為山左藏弆之鉅擘。……然咸豐辛酉（十一年），皖寇之亂，且毀其十之三四矣。閣主人楊紹和跋宋本《毛詩》條云：「辛酉皖寇擾及，齊魯之交，烽火互千里，所過之處，悉成焦土。二月初，犯肥城西境，據余華跗莊、陶南山館一晝夜。自分珍藏圖籍，必已盡劫灰。及寇退，收拾燼餘，幸猶十存五六。而宋元舊槧，所焚獨多，且經部尤甚。……」雖曰倖存五六，然海源閣上「宋存書室」之「四經四史齋」，竟致不易復厥舊觀；亦可見其禍之烈。㊾

在北方私家藏書樓居首的海源閣，經捻軍的破壞後，損失了超過一半的珍秘典籍。

通過以上的討論，我們了解清季時的內部動亂確實對私人藏書事業起著極大的破壞，可以想見當時典籍遭到毀壞的程度。

㊾ 同上註，頁236－237。

外患方面，對典籍起過嚴重摧殘的戰役有道光時的鴉片戰爭、咸豐時的英法聯軍、光緒時的八國聯軍。陳登原在《古今典籍聚散考》記載了鴉片戰爭中典籍遭破壞的情形：

> 以鴉片戰爭而言，道光庚子（一八四〇年），英法侵入寧波。寧波有明以來之天一閣，藏書稱盛。……英人入甬以後，登閣周覽，取《一統志》及其他地志而去也。天一地志，為私人收藏之冠；英人竟乘火打劫，此外人藉兵亂，取我典冊之原始記載也。㊿

鴉片戰爭之役使得天一閣所藏《一統志》及多種地方誌盡遭英人所劫。至於英法聯軍給予中國典籍的破壞，陳登原亦有記載：

> 英法聯軍之役，肇始於咸豐七年（一八五七），終於咸豐十年。圓明園中之《四庫全書》，即焚於此役。[51]

英法聯軍之役使得《四庫全書》遭焚毀。然而，在這三次外患中，陳登原認為八國聯軍給中國典籍帶來的破壞程度最為嚴重。他說：

> 然外患中，書籍遭厄之甚者，則莫如光緒二十六年（1900）八國聯軍之役，聯軍佔領北京之時，號稱為中國百科全書

㊿ 同上註，頁 249。

[51] 同上註，頁 249－250。

之《永樂大典》，雖由以前已有散佚；然最後之亡散，即亡散於此役也。[52]

通過以上文獻，說明外患給予公家藏書事業極大的破壞。在這種內外夾攻的情況下，導致古籍（特別是已是稀有宋元舊槧）在人間消散得更加迅速，能夠完整保留下來的已是鳳毛麟角了。這也就難怪乎葉德輝要實事求是地在重新檢討他的版本觀，並發現明清刻本中亦有不少不遜於宋元舊槧的善刻。在這種新版本觀的基礎上，乃積極從明清刻本中尋找有價值的善刻，以彌補宋元舊槧嚴重短缺的缺陷了。

最後，和宋元舊槧比較起來，明清善刻的書價顯然廉宜得多。若藏書家藏書的目的是為讀書，又若時刻在內容上和原刻舊刻並無兩樣，能夠滿足學術研究基本要求，那他們一般都不太渴求舊刻善本。從經濟的角度來看，既然葉德輝是為學術研究的需要而藏書，而明清善刻中也不乏精品，且書價也較便宜。這麼一來，搜集明清善刻也並無不妥的地方，也是比較實事求是的作法。

不管葉德輝重視明清善刻的意圖如何，這種新穎的版本觀在當時的私人藏書界來說可說是獨樹一幟的，打破了以往佞宋尚元的版本觀。

---

[52] 同上註，頁 250。

捌、略論葉德輝及其校勘學

清儒以考據鳴一時，其時多以校勘為考據的基礎。羅炳綿說：「清代學者無論在經史子等方面的校註，辨偽與輯佚，所以能勝前人而倍加精密者，大半為先求基礎於校勘的緣故。」❶

校勘主要在審定文字的異同，以求盡可能恢復一書的本來面目。❷校勘雖重在字句的校訂，卻與目錄學、版本學息息相關。昔劉向校讎，實涵括目錄、版本、校勘三者，而又以校勘為其基礎。又古籍校勘，為從事文史研究者基本治學功夫。

為了提高文獻的可靠性，藏書家往往都對所藏書籍進行校勘的工作。《新唐書·韋述傳》稱其「蓄書二萬卷，皆手校定，黃墨精謹，內秘書不逮也」。❸這種為藏書進行校勘的事例幾乎俯拾即是。清初藏書家孫從添（1691－1767）總結藏書經驗撰成《藏書紀要》一卷，其第四則〈校讎〉云：

---

❶ 羅炳綿《清代學術論集》（臺北：食貨出版社，1978），頁 454。

❷ 程千帆、徐有富《校讎廣義·校勘編》（濟南：齊魯書社，1998），頁 24。

❸ 歐陽修、宋祁撰《新唐書》卷一三二，韋述本傳（北京：中華書局，1975），頁 4530。

古人每校一書，先須細心紬繹，自始至終，改正字謬錯誤，校讎三四次，乃為盡善。至於宋刻本，校正字句雖少，而改字不可遽改書上，元板亦然。須將改正字句，寫在白紙條上，薄漿浮簽，貼本行上，以其書之貴重也。凡校正新書，將校正過善本對臨可也。倘古人有誤處，有未改處，亦當改正。明板坊本、新鈔本，錯誤遺漏最多，須覓宋元板、舊鈔本、校正過底本，或收藏家秘本細細讎勘，反覆校過，連行款俱要照式改正，方為善本。若古人有弗可考究無從改正者，今人亦當多方請教博學君子善於講究古帖之士，又須尋覓舊碑版文字，訪求藏書家祕本，自能改正。然而校書非數名士相好聚於名園讀書處，講究討論，尋繹舊文，方可告成，否則終有不到之處。所以書籍不論鈔刻好歹，凡有校過之書，皆為至寶。❹

孫從添在這裡相當詳盡的討論了校勘應當注意的事項。

葉德輝也非常重視書籍的校勘工作。在他看來，「書不校勘，不如不讀」❺。這是因為葉德輝意識到書若不校勘所帶來的弊端是無窮的；在他看來，只有校勘過的書籍才值得一讀。校勘的益處甚多，葉德輝說：

校勘之功，厥善有八：習靜養心，除煩斷欲，獨居無俚，萬慮俱消，一善也；有功古人，津逮後學，奇文獨賞，疑

❹ 孫慶增《藏書紀要》，〈校讎〉，見《書目續編》（臺北：廣文書局，1968），頁21－23

❺ 葉德輝《藏書十約》，〈校勘七〉，見《葉德輝集》冊2，頁24。

> 竇忽開，二善也；日日翻檢，不生潮霉，蠹魚蛀虫，應手拂去，三善也；校成一書，傳之後世，我之名字，附驥以行，四善也；中年善忘，恒苦搜索，一經手校，可閱數年，五善也；典制名物，記問日增，類事撰文，俯拾即是，六善也；長夏破睡，嚴冬禦寒，廢寢忘食，難境易過，七善也；校書日多，源流益習，出門採訪，如馬識途，八善也。❻

葉德輝以為校勘的好處有八，可概括為四點：一為利於個人的修身養性；二為利於個人學問的增長；三為利於個人聲名的傳世；四為利於書籍的保存。由於對校勘的重要性與益處的正確認識，葉德輝非常重視藏書的校勘工作。因此，當葉德輝「每得一書」，「必廣求眾本，考其異同」❼，且「比勘之後，必有記述題跋」❽，可見其對於藏書校勘的工作從不懈怠。

校勘的方法，葉德輝提出二種：

> 今試言其法，曰死校、曰活校。死校者，據此本以校彼本，一行幾字，鈎乙如其書，一點一畫，照錄而不改，雖有誤字，必求原本，顧千里廣圻、黃蕘圃丕烈所刻之書是也。活校者，以群書所引改其誤字，補其闕文；又或錯舉

---

❻ 同上注。

❼ 葉德輝《郋園讀書志》卷十六後，葉啟發〈郋園讀書志跋〉，見《葉德輝集》冊 3，頁 420。

❽ 葉德輝《書林清話》卷十後，葉啟崟〈跋〉，民國庚申（1920）觀古堂刊本，頁 1 上。

> 他刻，擇善而從，別為叢書，板歸一式，盧抱經文弨、孫淵如星衍所刻之書是也。❾

「死校」有人稱之為「求古」，如宋元舊本，一一覆寫，雖有謬誤，亦必沿襲，以存其真。顧廣圻、黃丕烈所刻之書便是運用此法校勘以存其真。「活校」即所謂「求是」法，❿「以群書所引改其誤字，補其闕文；又或錯舉他刻，擇善而從，別為叢書，板歸一式」，盧文弨、孫星衍所刻之書便是採用此法校勘，以求其是。此二法，葉德輝以為：「不僅獲校書之奇功，抑亦得著書之捷徑也已」⓫。

葉德輝校勘古籍之功力，實不遜於其版本目錄學。在他所撰寫的題跋中，評論優劣，參校異同，有很多地方是牽涉到校勘的，可供後人參考。通過以下的幾個例子，我們可看到葉德輝於題跋中所言及的校勘內容。如《復齋鐘鼎款識》一冊：

> 近年杭城書市有新印本，籤題阮刻王復齋鐘鼎題識，版藏上虞某氏，余取阮刻後印者對校，乃知近日新印為洗版修補之本，書中題字圖記及款識花紋墨點缺字缺筆，絲毫無異，惟字經洗剔，不及原印之豐腴耳。⓬

---

❾ 葉德輝《藏書十約》，〈校勘七〉，頁24。

❿ 杜邁之、張承宗《葉德輝評傳》（長沙：岳麓書社，1986），頁72。

⓫ 葉德輝《藏書十約》，〈校勘七〉，頁24。

⓬ 葉德輝《郋園讀書志》卷二，跋嘉慶七年阮氏積古齋刻宋冊本宋王厚之《復齋鐘鼎款識》一冊，頁63。

葉德輝在這裡是以後印本校前印本。又如《論語白文》十卷附札記：

> 暇日因取七經《孟子考文》所引古文足利本一本二本三本、皇侃本、正平本、黎刻正平本、札記所引津藩有造館本。傅懋本觀察，重刻唐卷子校錄，與今本異者，合得三百餘事為札記一卷，附於後。⑬

葉德輝在這裡記以日本諸《論語》版本校日本天文本單經《論語》的過程，並附上詳細的校勘記。又如《吳越春秋》十卷又一部：

> 從子巘甫，近得明萬曆丙戌馮念祖重刊元本，取校此本，乃知馮本即係此版初印。⑭

葉德輝在這裡是以明萬曆丙戌馮念祖刻本校明萬曆辛丑楊爾曾刻本。又如袁州本《郡齋讀書志》四卷：

> 得此書半月許，忽於廠肆得汪氏藝芸書舍所刊衢州本，取校此本，文多詳核。⑮

---

⑬ 葉德輝《郋園讀書志》卷二，跋日本天文癸己刻本《論語白文》十卷附劄記，頁 36。

⑭ 葉德輝《郋園讀書志》卷三，跋明萬曆辛丑楊爾曾刻本《吳越春秋》十卷又一部，頁 75。

⑮ 葉德輝《郋園讀書志》卷四，跋康熙壬寅海寧陳師曾刻本袁州本《郡齋讀書志》四卷，頁 96。

葉德輝在這裡是以衢州本校袁州本。又如《重刻武英殿聚珍版》七種：

> 余憶舊藏汪汝瑮所刻《書苑菁華》，版式似是如此，取以相校，無累黍差，故敢斷為汝瑮刻也。⑯

葉德輝在這裡以《書苑菁華》校武英殿聚珍本。

校勘固重方法，態度更須謹慎不苟，前人有所謂「誤於不校者，可以校治之；誤於校者，其弊將不可治」⑰的名言，道出了輕率改正文字的缺失。在葉德輝的校勘古籍的活動中，我們發現他對保留舊刻原貌的執著。葉德輝在跋明崇禎癸酉趙宧光仿宋刻本《玉臺新詠》十卷中指出：

> 凡明仿宋刻本之可貴者，貴其存宋版舊式也。宋版書之可貴者，貴其多通人所校，不輕妄改古本也。⑱

通過以上一段話，說明葉德輝校書時抱持不輕改古本的原則。這是葉德輝「死校」法的具體體現。在實踐的過程中，我們發現葉德輝對這原則甚為執著。例如葉德輝在刊印明周弘祖《古今書刻》二卷前，曾對該目進行了精細的校勘。校勘後發現「書中偶有誤字」，但葉德輝刊刻此書時「一仍其舊以明無所擅改」。至於

---

⑯ 葉德輝《郋園讀書志》卷六，跋汪汝瑮無年月刻本《重刻武英殿聚珍版》七種，頁179。

⑰ 黃廷鑑《第六弦溪文鈔》卷一，清光緒間鮑氏刊《後知不足齋叢書》，頁35下。

⑱ 葉德輝《郋園讀書志》卷十五，跋明崇禎癸酉趙宧光仿宋刻本《玉臺新詠》十卷，頁378。

書中的一些宋代時的別體字，葉德輝在刊印時也不予糾正，「以存其真」，「俾讀者如見四百年前古物，抒懷舊之蓄念，發思古之幽情」。⑲

葉德輝的校記中，發現「活校」法也經常為葉德輝所採用。如校《儀禮》十七卷：

> 此為明嘉靖刻《三禮》之一，每半葉八行，行十七字，士禮居曾刻其《周禮》一種，頗多訛舛，因以宋董氏集古堂本為主，更以各種宋本校正之。⑳

葉德輝在這裡是以宋本《儀禮》來校勘明嘉靖徐氏覆宋刻三禮本《儀禮》十七卷。由於士禮居所刻《周禮》一種「頗多訛舛」，乃「以宋董氏集古堂本為主，更以各種宋本校正之」，這是葉德輝「活校」法的具體實踐。

審察《郋園讀書志》中的眾多題跋，發現葉德輝校勘古籍時取用的輔本及相關佐證書頗多。輔本及相關佐證書多，有助於校勘時的判斷，減少見而未校或校而不備的情況產生。葉德輝校勘書籍時往往廣求眾本，以求獲得真確的判斷。其侄葉啟發回憶葉德輝曾訓導他說：「版本之學，為考據之先河，一字千金，何可鮮視。昔賢嘗以一字聚訟紛紜，故予每得一書，必廣求眾本，考其

---

⑲ 周弘祖撰《古今書刻》，葉德輝〈重刊古今書刻序〉，見《觀古堂書目叢刻》冊 2（臺北：廣文書局，1972），頁 441－443。

⑳ 葉德輝《郋園讀書志》卷一，跋明嘉靖徐氏覆宋刻三禮本《儀禮》十七卷，頁 26。

異同，蓋不如是不足以言考據也。」㉑這段話說明葉德輝校勘書籍時態度的嚴謹。考據的方法主要是以校勘釐正本文，以訓詁貫通字義。㉒這方面的工作須得助於本文以外的其他的本子，只有這樣，才能得出客觀和符合實際的結論。例如葉德輝在校勘明德藩最樂軒刻本《漢書》一百三十卷時，「取明南監本、汪文盛本、汲古閣本及乾隆中武英殿刻本互相參校文字」，發現「頗有異同」㉓，可見葉德輝校勘典籍時態度的嚴謹。

在葉德輝的校勘記中，我們也發現葉德輝不迷信古本的原則。古本時代較早，卻也未必盡對；校勘時不可一味泥於以古本改今本，當視其優劣而定。實際上，通過葉德輝的《觀古堂藏書目》、《郋園讀書志》和《書林清話》等版本目錄學著作，我們發現葉德輝並非佞宋嗜元之輩。通過《觀古堂藏書目》和《郋園讀書志》，我們發現其觀古堂所藏明清善刻有居多的傾向，這和清代藏書家汲汲於宋元舊槧的追求的傾向背道而馳。在葉德輝看來，一向為清代藏書家和目錄版本學家所忽視的明刻和近刻，其中實不乏珍品。葉德輝在《書林清話》卷五〈明人刻書之精品〉㉔和

㉑ 葉德輝《郋園讀書志》卷十六後，葉啟發〈郋園讀書志跋〉，頁420。

㉒ 趙國璋，潘樹廣主編《文獻學辭典》(南昌：江西教育出版社，1991)，頁327。

㉓ 葉德輝《郋園讀書志》卷三，跋明德藩最樂軒刻本《漢書》一百三十卷，頁65。

㉔ 葉德輝《書林清話》卷五，〈明人刻書之精品〉，頁5下－10。

卷九〈國朝刻書多名手寫錄亦有自書者〉[25]指出明刻和清刻無論從內容和書品來說都不會比宋元刻本遜色，有些甚至淩駕宋元刻本之上。他在《郋園讀書志》又指出清刻所以從內容和書品來說都不遜於宋元刻本，是由於自康雍乾嘉以來，「累葉承平，民物豐阜，士大夫優遊歲月，其著書甚勇，其刻書至精，不獨奴視朱明，直可上追天水。」[26]葉德輝雖重視明清善刻的收藏，但對宋元舊槧也不存反感，但所重是在其藝術價值，對其內容的「權威性」則持保留的態度，這可從《書林清話》中卷六「宋刻書字句不盡同古本」[27]、卷十「宋刻書多訛舛」[28]兩則討論中看出。基於這種認識，故葉德輝在校書抱持一種不輕信古本的態度。例如葉德輝比較宋嚴州刻小字本和明嘉靖徐氏覆宋刻三禮本《儀禮》十七卷後發現兩刻「十有八、九相合」，然「嚴州本多訛字」，後者「無之」。葉德輝在該跋中一一列明嚴州本的訛誤，最後得出徐本勝於嚴州本的結論。[29]也只有抱持不輕信古本的校書原則，才致使葉德輝拿宋刻和明刻來做一番比較。也唯有這種態度，才逐漸增長了葉德輝的識見，於學術上得出更多公允的評價。

---

[25] 葉德輝《書林清話》卷九，〈國朝刻書多名手寫錄亦有自書者〉，頁15－16上。

[26] 葉德輝《郋園讀書志》卷一，跋嘉慶十年原刻本《儀禮圖》六卷，頁31。

[27] 葉德輝《書林清話》卷六，〈宋刻書字句不盡同古本〉，頁13下－14。

[28] 葉德輝《書林清話》卷六，〈宋刻書多訛舛〉，頁14下－15。

[29] 葉德輝《郋園讀書志》卷一，跋明嘉靖徐氏覆宋刻三禮本《儀禮》十七卷，頁26－28。

由於葉德輝對校勘的益處有著正確的認識，故而能勤於對藏書進行校勘的工作，這些工作也間接地提高了其藏書的素質。同時，其校勘的方法與態度，至今仍有值得我們借鑑的地方。

玖、葉德輝刻書活動探析

一、緒論

從過往的研究中，我們知道葉德輝的文獻學工作極其廣泛。葉德輝除積極投入版本目錄學和藏書工作，其觸角亦涉及刻書。在他三十多年的刻書生涯中，估計共刊刻超過百種圖書，且多是未經傳刻或罕見海內外圖書，對古代文獻的保存和流通實不可漠視。惜到目前爲止，有關其刻書活動的專論仍付之闕如。

那麼，葉德輝的刻書動機為何？刻書數量為何？刻書形式與內容為何？刻書特色為何？學者們對其刻書的評價爲何？其刻書的影響為何？這些都是本文要探討的問題。

二、清代家刻書的發展概況

清代私家的藏書風氣極盛，藏書事業相當發達，刻書更是繁榮昌盛。據統計，清代的私家刻書約兩千種之多。❶究其原因，約有以下數端：首先，清代統治者高度重視經濟的發展，採取了一系列調整統治政策的措施，且這種統治政策一脈相承，使經濟達到了鼎盛的局面，在十八世紀出現了「乾嘉盛世」的盛景。清

---

❶ 羅樹寶《書香三千年》（長沙：湖南文藝出版社，2005），頁 90。

代經濟的高度發達為藏書、刻書奠定了物質基礎。此外，清代統治者大力倡導文教，民間的學術研究日益昌盛，好學之士聞風而起。學風的興盛，造就了衆多的學者。學術興旺，學者衆多，著述自然宏富，為刻書進一步提供了素材。人才的淵藪為清代私家藏書、刻書奠定了最重要的人文基礎。最爲重要的是，清政府除了禁止民間刊刻「淫詞小説」外，其他種類的圖書，只要有錢或有力，就可刊刻。一些文人學者，對刻書十分推崇。❷ 私人刻書家張海鵬曾對人說：「藏書不如讀書，讀書不如刻書；讀書只以爲己，刻書可以澤人，上以壽作者之精神，下以惠後來之修學，其道甚廣。」❸ 張之洞認爲刊印古代文獻是一種不朽的業績，他在《書目答問》中說：

> 凡有力好事之人，若自揣德業學問不足過人，而欲求不朽者，莫如刊佈古書一法。但刻書必須不惜重費，延聘通人，甄擇秘笈，詳校精雕。刻書不擇佳惡，書佳而不讎校，猶糜費也。其書終古不廢，則刻書之人終古不泯。如歙之鮑，吳之黃，南海之伍，金山之錢，可決其五百年中必不泯滅，豈不勝於自著書自刻集者乎？假如就此錄中，隨舉一類，刻成叢書，即亦不惡。且刻書者，傳先哲之精

---

❷ 王桂平《家刻本》（南京：江蘇古籍出版社，2002），頁 38－41。

❸ 黃廷鑑《第六弦溪文鈔》卷四，〈朝議大夫張君行狀〉，見《叢書集成新編》冊 76（臺北：新文豐出版公司，1984），頁 203。

蘊，啟後學之困蒙，亦利濟之先務，積善之雅談也。❹

在很多人看來，刻書不但積陰德，而且於名、於利都有好處。因此，清代私人刻書，無論是家刻還是坊刻的現象非常普遍。

清代的家刻書大體可以分爲兩大類，一類是文人學者刊行自己的著作和前賢詩文集，這類書都是名家手寫上板，也有作者自己手寫上板的，由著名刻工鏤版，所用的紙墨也比較考究，是刻本中的精品，世稱「精刻本」。清代寫刻精本始於康熙，而盛於乾隆。康熙時林佶（1660－？）手寫上版的汪琬（1624－1691）的《堯峰文鈔》、陳廷敬（1638－1712）的《午亭文集》、王士禎（1634－1711）的《古夫於亭稿》和《漁洋精華錄》；雍正時江都陸鍾輝刻本《笠澤叢書》、廣陵般若庵刻本《冬心先生集》；乾隆時鄭燮（1693－1765）自己親自手寫上版的《板橋集》、胡介祉寫刻的《陶靖節詩》；嘉慶時黃丕烈（1763－1825）手寫上版的《季滄葦書目》、松江沈氏古倪園所刻的「四婦人集」（即唐《魚玄機詩》、《薛濤詩》、宋《楊太后詩》、元《綠窗遺稿》）等，皆是名家手寫、名工鏤板、上等紙墨精印，為清刻書中的上品。另一類是輯佚、考據和校勘學興起後，各大藏書家所輯刻的叢書、古逸書和影印的宋元明善本書。清代私家藏書頗重版本，明末清初的錢謙益（1582－1664）、清初之錢曾（1629－1701）、季振宜（1630－？）、徐乾學（1631－1694）、朱彝尊（1629－1709），清中葉之黃丕烈、汪士鍾、吳焯（1676－1733）、鮑廷博（1728－1814）等

---

❹ 張之洞《書目答問》，〈勸刻書說〉（臺北：新文豐出版公司，1974），頁 110。

藏書多且精，這些藏書家的刻書多選取宋元善本直接影印。這些書或者校勘精審，或底本精良兼影刻逼真，具有極高的學術價值，黃丕烈所刻《士禮居叢書》即其代表。❺

清代家刻圖書數量大，校勘精。由於考據學的興盛，不少家刻圖書都是由著名的版本學家或學有專長的學者選編校訂。清代家刻的著名單行本善本有胡克家（1757－1816）刻的《資治通鑑》、張海鵬刻的《太平御覽》、黃丕烈刻的《國語》、《戰國策》、汪士鍾刻的《儀禮疏》等。清代家刻圖書十之八、九是叢書。與明刻叢書不同，清刻叢書大都選取內容完整的底本，同時又精加校勘，遠非明刻叢書那樣截頭去尾、校勘粗疏甚至不加校勘可比。❻張之洞在《書目答問》中列舉了清代三十一位刻書家，包括何焯（1661－1722）、惠棟（1697－1758）、全祖望（1705－1755）、盧文弨（1717－1796）、錢大昕（1728－1804）、李文藻（1730－1778）、周永年（1730－1791）、丁傑、戴震（1724－1777）、孫星衍（1753－1818）、阮元（1764－1849）、顧廣圻（1770－1839）、陳鱣（1753－1817）、錢吉泰（1791－1863）等，指出「諸家校刻，並是善本，是正文字，皆可依據，戴、盧、丁、顧為最。」❼家刻叢書中的善本，有納蘭性德（1655－1685）的《通志堂經解》、鮑廷博（1728－1814）的《知不足齋叢書》、盧見曾（1690－1768）的《雅雨堂叢書》、黃丕烈的《士禮

---

❺ 陳力《中國圖書史》（臺北：文津出版社，1996），頁 323－324。

❻ 同上註，頁 324－325。

❼ 張之洞撰，范希增補正《書目答問補正》，〈附二：國朝著述諸家姓名略〉，頁 274。

居叢書》、盧文弨的《抱經堂叢書》、畢沅（1730－1797）的《經訓堂叢書》、孫星衍的《平津館閣叢書》和《岱南閣叢書》等。❽

十九世紀中葉以後，西方傳教士利用先進的鉛印、影印等印刷技術，開展了有聲有色的出版活動，當時較爲重要的教會出版機構有墨海書館、美華書館、廣學會、益智書會等，它們對中國近代出版事業的發展產生了重要影響。同治二年（1863），兩江總督曾國藩（1811－1872）在安徽安慶創辦金陵書局，開地方大吏設局刻書的先聲。接著，浙江書局、崇文書局、廣雅書局、湖南書局、淮南書局、江西書局、山東書局、福州書局、貴州書局、雲南書局等也先後設立，開展刻書活動，在光緒年間形成了官書局刻書的繁榮局面。光緒初年，當近代普及教育的浪潮洶湧而來之時，對普及性文化教育書籍有廣泛需求，以運用新印刷技術專門出版這類書籍的現代民營出版企業開始走上歷史舞臺。其中，以點石齋石印書局、同文書局、商務印書館最具代表性。❾ 和西方先進印刷技術相較之下，雕版印刷在這時期雖已呈現停滯不前，日趨衰落的狀態，但私家刻書在教會出版機構、官書局和民營出版企業的夾攻下，雖無法與過往輝煌的景象比擬，但仍取得了相當的發展。一些地區，像湖南省在民國年間還刊刻了雕版書820 種，就足以說明這個事實。❿昌彼得指出：「道光以後，（私家

---

❽ 陳力《中國圖書史》，頁 325。

❾ 黃鎮偉《中國編輯出版史》（蘇州：蘇州大學出版社，2003），頁 290－294。

❿ 郭平興〈近代早期湖南刻工與技工研究：兼論近代湖南印刷技術的改革〉，見《九江學院學報》2007 年第 1 期，頁 47－48。郭平興在

刻書）更蔚成風氣，藏書家幾乎沒有不選其珍藏，精校慎刻，以嘉惠於讀書人的，一直到民國初年而不衰。」⑪謝國楨對鴉片戰爭以後的私人刻書事業做出這樣的觀察：

> 自海通以來，由道、咸而迄光、宣，半世紀以來，世風歪變，工商競起，期以西人相角逐，因之富商巨紳，亦喜出資刻書，以為名高。然而能刻書者，未必能識書。能識書矣，又未必能抉擇審慎，身與校讎之役也。但清季所刻叢書，所以能有其成就者，則以有力主其事之人也。其中當推陸心源、楊守敬、葉德輝、繆荃孫等，後此則為羅振玉、王國維、張元濟、傅增湘諸人。其搜輯鑑別，研賾校讎，深詣孤造，各有其獨到之處。⑫

這些都說明了私家刻書的光芒在道光以後並沒有完全為教會出版機構、官書局和民營出版企業所遮掩。值得注意的是，湖南學者

文章中指出，自北宋至民國以來，「湖南的書刊印刷業大概經過了三個階段：第一階段是北宋到清光緒二十三年(1897) ，這一時期圖書的製作主要是靠雕版印刷的方式。這也是湖南用來印刷書籍使用時間最長的方式。第二階段是清光緒二十四年（1898）至民國二十六年（1937）抗日戰爭爆發前，這一時期是雕版、石印、鉛印並舉，印刷技術較前一階段有很大進步但規模都不大。第三階段，是鉛印成為最主要的印刷方法，但因時局混亂，書刊印刷業也沒有取得很大成績。」（頁 47）

⑪ 昌彼得《中國圖書史略》（臺北：文史哲出版社，1993），頁 62。

⑫ 謝國楨〈叢書刊刻源流考〉，見謝著《明清筆記談叢》（上海：上海古籍出版社，1981），頁 221－223。

葉德輝亦在謝國楨所舉「能有其成就者」之列，說明其刻書的價值之高，不容等閒視之。

三、葉德輝的刻書活動

（一）刻書動機

葉德輝不僅以藏書、著書聞名，且以刻書著稱。除了刊刻自己的著述，以及先祖的著作外，葉德輝也刊刻了不少古今圖書。爲了讓自己的著述和先祖的著作能公諸於世，或許是葉德輝熱衷於刻書活動的原因。但事實是，葉德輝除了刊刻這些圖書外，還不遺餘力地刻印了不少和自己的學術喜好關係甚密的古今圖書，其中《觀古堂彙刻書目》乃前人的目錄著作，像這類冷門的書籍只有從事相關學問的學者才會購置，可以想像市場是非常小的。但葉德輝卻「一意孤行」，刊印了不少冷門的圖書，其動機到底爲何？葉德輝所以於著述與藏書外醉心於刻書活動，在很大的程度上是受了張之洞的影響。他在《書林清話》的開篇〈總論刻書之益〉一則就曾引用張之洞的「凡有力好事之人，若自揣德業學問不足過人，而欲求不朽者，莫如刊佈古書一法」的這段話。私人刻書本來就是非營利性質的，大多是業餘性質，只是為了博取名聲，沾染一點文人墨客的氣息。因此，為流芳百世乃葉德輝醉心刻書的動機之一。在〈總論刻書之益〉一則中，他進一步引用宋代司馬光（1019－1086）曾說過的「積金以遺子孫，子孫未必能盡守；積書以遺子孫，子孫未必能盡讀。不如積陰德於冥冥之中，以為子孫無窮之計」的這段話。葉德輝說：「吾有一說焉。積金不如積書，積書不如積陰德，是固然矣。今有一事，積書與積陰德皆兼之，而又與積金無異，則刻書是也。」⑬為「積陰德」而刻書，或許也可以用來解釋葉德輝熱衷刻書的另一個動機。在這些動機的驅使下，葉德輝除了刊刻自己的著述外，也刊刻了不少古今圖書。

雖說葉德輝並非富甲一方，但以他在當時所持有的資財，若量力而為的話，還是容許他從事這個費錢的活動。除個人出資刊刻外，一些刊書也得力於友朋的資助，像《元朝秘史》乃得到「秀水金太守蓉鏡」的「資助」後才得以順利梓行。⑭除此，《南嶽總勝集》也是在湖南巡撫龐鴻書（1848－1915）的助資下刊行。⑮

（二）刻書數量

葉德輝沉浸刻書事業約三十四年，其刻書活動始於光緒十八年（1892），止於 1925 年。其「所著及校刻書凡數十百種，多以行世」。⑯就其刻書種數和卷數來説，宣統三年（1911）是葉德輝刻書最多的一年，所刻書共 18 種，104 卷，包括自著、家集、族

---

⑬ 葉德輝《書林清話》卷一，〈總論刻書之益〉，民國庚申（1920）觀古堂刊本，頁 4 上。

⑭ 葉德輝《舊刊郎園序跋雜文》，〈元朝秘史序〉，見《葉德輝集》冊 4，頁 322。

⑮ 葉德輝《舊刊郎園序跋雜文》，〈重刊宋本南嶽集序〉，頁 316。

⑯ 汪兆鏞纂錄《碑傳集三編》卷四一，〈文苑六〉，許崇熙〈郎園先生墓誌銘〉，見周駿富輯《清代傳記叢刊》冊 126（臺北：明文書局，1985），頁 510。

譜、傳記、書目等；其次為民國五年，共 15 種，47 卷；再次分別為光緒二十八年（1902）和光緒三十四年（1908），刻書 13 種，卷數分別為 40 卷和 66 卷。光緒二十八年到宣統三年間（1902－1911）是葉德輝刻書最活躍的時期，進入民國以後其刻書熱忱有消歇的跡象。自民國三年以後，「因連遭國事、湘事及家事之變」，葉氏家族的產業元氣大傷，折損了六、七成。「此時僅以房租供日用，買書刻書已無活支，須臨時籌辦」。⓱雖然生活陷入窘境，但並沒有澆滅他對刻書的熱忱。一有餘資，仍會刊行圖書，像他在民國五年和民國十二年這兩年還有較多的刻書。不過，和民國以前比較起來，葉德輝在這期間似乎較重視個人著述的刊刻。

刻書年代	種數	卷數	刻書年代	種數	卷數
光緒十八年	1	2	宣統二年	1	4
光緒十九年	1	2	宣統三年	18	104
光緒二十年	0	0	民國元年	1	10
光緒二十一年	5	19	民國二年	1	1
光緒二十二年	0	0	民國三年	2	2
光緒二十三年	1	6	民國四年	3	28
光緒二十四年	7	22	民國五年	15	47
光緒二十五年	3	10	民國六年	5	42
光緒二十六年	3	9	民國七年	2	3
光緒二十七年	2	5	民國八年	4	14
光緒二十八年	13	40	民國九年	2	11
光緒二十九年	12	21	民國十年	2	5
光緒三十年	6	12	民國十一年	1	2

⓱ 王逸民〈葉德輝年譜簡編〉，見《葉德輝集》冊 1，頁 51。

光緒三十一年	5	26	民國十二年	7	25
光緒三十二年	7	15	民國十三年	0	0
光緒三十三年	8	8	民國十四年	1	1
光緒三十四年	13	66	民國十五年	0	0
宣統元年	5	16	民國十七年	0	0

必須說明的是，葉德輝的政治、社會與學術活動頻繁，在三十餘年間以個人的力量刊刻百餘種圖書，雖非不可能，但也是一份頗爲吃力的工作。幸得到其子侄和學生在這方面的協助，使得這個工作的完成成爲可能。葉德輝長於版本目錄學，喜於刻書，平日也將此學問和經驗傳授給子姪。其子啓倬（1889－？）、啓慕（1891－？），其侄啓勳（1900－？）、啓發、啓崟等從小受葉德輝的影響和指導，在耳濡目染的環境下，皆愛好藏書並精於版本目錄學，並在葉德輝的指示下都曾參與實際的圖書校勘和刊行工作。⑱此外，葉德輝樂於獎掖後進，慕其名投入門墻衆多，有蔡傳奎、劉肇隅、楊樹達（1885－1956）、楊樹谷等。葉德輝除指點他們經學和小學外，也指導版本目錄學，並往往讓他們進行實際的版本鑑定和圖書校勘的工作，一些學生也參與了圖書的刊行工作。

---

⑱ 在葉德輝的眾多子侄中，以葉啟勳最為著名。啟勳字定侯，號更生，是葉德輝三弟德炯的次子。啟勳自己的「拾經樓」藏書也多達十萬卷。他在民國二十六年印行《拾經樓紬書錄》三卷，收錄他歷年來所藏圖書題跋 109 篇。傅增湘在〈長沙葉氏紬書錄序〉稱譽他的克紹家風，有如明代天一閣范欽之有范大潡、清代愛日精廬張海鵬之有張金吾。（葉啟勳《拾經樓紬書錄》，見《書目叢刊》第 16 種[臺北：廣文書局，1967]，頁 1）

葉德輝的頗多刊書，都得力於這些一手培養的子姪和學生的幫助才得以順利刊行。如葉德輝在民國以後即開始編輯其藏書目錄，「以志一生精力之所注」，完成後即囑咐兒子啟慕、啟倬以活字排印，「分貽諸從兄弟」。⑲又如葉德輝在生前也曾自編「《郋園藏書題跋記》四卷」，「啟倬繕錄成帙」，但不知何故沒有順利梓行。⑳葉德輝的學術代表作《書林清話》也是在子侄的協助下順利刊行。葉啟崟記述《書林清話》的編印過程說：

> 書成於宣統辛亥，中更兵燹，剞劂之工，刻而復停，今幸全書告成，歷年更多所補益，是固考板本話遺聞者所當爭睹矣。啟崟不敏，得受學伯父，粗識簿錄之學，因據稿本，取校原引各書，漏載者補之，重衍者乙之，凡五閱月而畢業，寄蘇呈伯父鑑定，付手民改正，深恐掛漏猶多，復率從弟康侯、定侯等助余檢校。又補正數十字，而後斯役也，庶可副伯父撰述之深意云。㉑

據上所引，得知此書成於清末，幾經修改，終於 1920 年刊行，其子侄如啟崟、啟勳、啟發等，均擔任整理校對的工作，將此書的錯誤減到最低。

在葉德輝的衆多學生中，以劉肇隅對其師的刻書工作的協助最大。劉肇隅在光緒二十年（1894）投入葉德輝門下，時年二

---

⑲ 葉德輝《觀古堂藏書目》卷一前，葉德輝〈序〉，見《葉德輝集》冊4，頁1－2。

⑳ 葉德輝《觀古堂藏書目》卷四後，葉啟倬、葉啟慕〈跋〉，頁156。

㉑ 葉德輝《書林清話》卷十後，葉啟崟〈書林清話跋〉，頁2下。

十。劉肇隅譜名萃隅，字廉生，號曉初，湘潭淦田鄉宏圖村人。劉肇隅曾拜杜貴墀（1824－1901）為師，也曾入江標幕，嘗為撰輯《宋元行格表》。㉒劉肇隅回憶從葉德輝學版本目錄學說：

> 吾師葉郎園吏部，承先世之楹書，更竭四十年心力，凡四部要籍，無不搜羅宏富，充棟連櫥；而別本重本之多，往往為前此藏書家所未有。肇隅髫年，即從吾師遊，每登觀古堂，倒篋傾筐，任意繙閱，於是者逾廿年。偶檢一書，則見前後多有題跋。吾師嘗進肇隅教之曰：「凡讀一書，必知作者意旨之所在；既知其意旨所在矣，如日久未之溫習，則必依稀惝怳，日知而月忘。」故余於所讀之書，必於餘幅筆記數語。或論本書之得失，或辨兩刻之異同，故能刻骨銘心，對客瀾翻不竭。㉓

葉德輝生前刻書多囑咐他校讎刊行，其中包括《山公佚事》、《徐松說文段註札記》、《龔自珍說文段註札記》、《桂馥說文段鈔》、《曝書亭詞》。除此，他也曾為其師的刻書編撰〈郎園四部書敍錄〉和〈郎園刻板書提要〉。

在葉德輝的悉心指導與培養下，其不少子侄和學生都掌握了紮實的版本鑑定和圖書校勘的能力，並積累了厚實的圖書刊行的經驗，葉德輝身後遺著也多賴子侄和學生刊行，如《郎園讀書志》、《書林餘話》、《觀古堂詩錄》、《觀古堂駢儷文》、《說文籒文

㉒ 王逸民〈葉德輝年譜簡編〉，頁47。
㉓ 葉德輝《郎園讀書志》，劉肇隅〈郎園讀書志序〉，見《葉德輝集》冊3，頁1。

考證》、《郋園先生全書》等，使得他的著述得以比較完整的留存。葉啟崟在跋《書林餘話》中說：

> 大伯父文選君，昔年既撰《書林清話》，播傳宇內，已為當世士大夫所推重。惟是此書殺青以來，間有歷代刻書掌故、瑣記為前書所無者。閱時年餘，又成此《餘話》上下兩卷。正待編為巨冊，不欲亟付梓民，而客歲以不幸罹難，至是竟成絕筆矣。人亡國瘁，痛哉言乎。（啟崟）兄弟丁茲喪亂，重懼遺稿散失，遂乃攜入行笥，悉數來滬，以待他日授之剞劂。會劉師澹園有印書館之設，亟用活字排印五百部，同時並印《郋園讀書志》，數亦如之。是役也，歷百餘日而蕆事。其校讎訛奪，劉師命（啟崟）及其家子弟分任之。師蓋大伯父入室弟子，故其沆瀣相承，快睹斯書之流布也。（啟崟）於家學毫無所得，有愧前修，展讀茲編，惝然若失者殆累日已。此外遺稿，尚有《四庫全書目錄版本考》、《說文籀文考證》、《經學通詁》、《郋園學行記》、《星命真原》、《自訂年譜》等書，將漸次編校刊行，庶無負於大伯父一生精力所繫，得以長留天地間。㉔

在劉肇隅的主持以及葉啓崟等子侄的編輯下，代表葉德輝版本目錄學成就的其中兩部著作——《書林餘話》和《郋園讀書志》才得

㉔ 葉德輝《書林餘話》卷下後，民國十七年（1928）上海澹園刊本，頁1。

以面世。葉德輝的侄子啟勳、啟發在《郋園讀書志》中分別發表其參與編印之心路歷程。葉啓勳說：

> 辛壬癸甲間世父避亂邑之朱亭，曾手定《觀古堂書目》四卷，大兄尚農以活字印行，自後續有所得。及啟勳兄弟所收約數百種，詳注舊目行間，正擬彙編重刊，逢亂中止稿存家中。世父平時每得一書，必綴一跋；啟勳兄弟所得，亦必呈請審定題尾，積年既久成十六卷，名曰：《郋園讀書志》，較書目為多且詳焉。㉕

葉啟發說：

> 國變以後，湘垣烽火頻仍，大伯父避亂閶門，深慮藏書不保，貽書從兄弟，屬將書跋次第鈔出，意謂藏書不幸不保，尚可流一影目。戊午以後，續有收入，益以予兄弟、從兄弟所得跋文益多，遂手編定為《讀書志略》，分十六卷凡十六冊，中有四冊，專為考論乾嘉以來詩壇諸家詩集而作者也！㉖

倘若沒有葉德輝在生前的指導，使得其子侄和學生都掌握了圖書校勘和刊行的學問和經驗，其遺著就可能無法公諸於世，遭到亡佚的命運。

(三) 刻書形式與內容

㉕ 葉德輝《郋園讀書志》卷十六後，葉啟勳〈郋園讀書志跋〉，頁419。

㉖ 葉德輝《郋園讀書志》，葉啟發〈郋園讀書志序〉，頁420。

從刻書形式來說，葉德輝所刻書往往以單行本形式面市，然後從這些單行本中擇取性質與內容相近的圖書，以及一些新刻，將它們分別結集成叢書，有《觀古堂彙刻書》、《觀古堂所著書》、《觀古堂書目叢刻》、《麗廔叢書》、《石林遺書》、《雙梅影闇叢書》等。㉗其中包括自著書、家集、書目、遊藝、房中書等。其刻書多以「葉氏觀古堂（刊）」、「葉氏郎園（校）刊」、「長沙葉氏刊」、「葉氏夢篆廔（樓）排印」署名。 絕大部分採用雕版印刷，也採用活字印刷，如《經學通詁》、《通曆》、《觀古堂藏書目》等。

刻書內容方面，包括經學、小學、子書、曆法、史書、書目、傳記、藝術、雜藝、家集、詩集等，內容相當廣泛，且與葉德輝的學術喜好息息相關。

在葉德輝的刻書中，其自編自著的圖書佔相當數目，大多刻於民國以後，有《觀古堂詩錄》、《經學通詁》、《觀古堂藏書目》、《六書古微》、《觀畫百詠》、《郎園北游文存》、《郎園山居文錄》、《郎園六十自敘》、《說文讀若字考》、《于飛經》等。其校輯訂訛刊刻圖書亦多，有《鬻子》、《郭氏玄中記》、《淮南鴻烈閒詁》、《淮南萬畢術》、《義烏朱氏論學遺札》、《昆侖集》、《山公啓事》、《瑞應圖記》、《孟子劉熙註》、《傅子》、《晉司隸校尉傅玄集》、

㉗ 關於葉德輝所刊叢書的情況，可詳參沈俊平〈葉德輝所刊刻叢書的研究〉，見《圖書與情報》2001 年第 1 期，頁 47－51。葉德輝彙編叢書之細目，可參閱王逸明、孫有東、劉海翼等整理〈郎園出版書目之三·郎園彙編叢書及郎園全書簡目〉，見《葉德輝集》冊 1，頁 40－44。

《素女經》、《玉房秘訣》、《洞玄子》、《宋秘書省續編到四庫闕書目》、《曝書亭刪餘詞》、《輯蔡氏月令章句》、《饋石齋印譜》、《鐵耕齋印譜》、《覺迷要錄》、《石林燕語》、《素女方》、《宋忠定趙周王別錄》、《宋趙忠定奏議》、《石林詩話》、《次柳氏舊聞》、《疏香閣遺錄》等。葉德輝利用自己熟諳刻書作業之便，刊刻了不少其編著的圖書，使其著述以及編校圖書得以行世。

通過前文的討論，我們知道葉德輝的學術生活是極其豐富多彩的。其中以版本目錄學工作最為廣泛，並且是絕大多數的版本目錄學家所望塵莫及的。當前輩和同時期的版本目錄學家尚把他們的工作停留在編制藏書目錄和撰寫讀書題跋記的範疇時，葉德輝在繼承這些工作的同時，進一步把領域擴大。觸角包括書史研究，有《書林清話》和《書林餘話》二書，使得此一學術領域的研究工作在他的手中掀開了序幕。㉘同時，也融彙前輩藏書家以及自己的藏書管理經驗，將這些經驗記錄在《藏書十約》，總結了中國古代藏書管理經驗。他亦曾對前人書目，如《書目答問》、《四庫全書總目》等，進行考證和訂補的工作，將它們的闕誤加以糾正，使它們的價值得以重現。不少重要版本目錄學著述，像《觀古堂藏書目》、《書林清話》、《藏書十約》等皆在他在世時以觀古堂的名號出版。此外，和其他刻書家不同的是，葉德輝還校刊了不少古今書目，其中包括了傳世極少的前人書目，有《宋秘

㉘《書林清話》是討論書籍歷史和古籍版本知識的第一部專門著作，但由於其取材較為廣泛，加上葉德輝個人的主觀思想、鈔輯時的疏忽，以及時代的限制，難免存在一些缺點和錯誤。參見葉德輝《書林清話》，〈出版者說明〉（北京：中華書局，1999），頁1－2。

書省續編到四庫闕書目》、《古今書刻》、《明南雍經籍考》、《萬卷樓書目》、《絳雲樓書目補遺》、《徵刻唐宋人秘本書目》、《孝慈堂書目》、《佳趣堂書目》、《竹崦庵傳抄書目》、《結一廬書目》、《別本結一廬書目》、《求古居宋本書目》、《潛采堂宋元人集目錄》等。除了以單行本的形式梓行外，也曾在光緒二十八年（1902）將它們彙集為《觀古堂書目叢刻》出版。

葉德輝亦喜刻家集，特別是對葉夢得（1077－1148）的著述情有獨鍾。葉德輝對其出身的顯貴頗爲自詡。許崇熙（1873－1935）在《郎園先生墓誌銘》指出葉姓自「宋元以來，名卿間出。」㉙葉德輝在〈題汾湖三十一世族祖戟甫公誦芬圖五十像冊〉一詩也說：

> 吾家八百年，江左稱華胄。肇祖自南唐，天水衣冠富。七檜營高堂，三世鄉郡守。石林文苑英，南渡尊耆宿。相業傳華亭，孫枝涇東茂。㉚

據崔建英整理的〈郎園學行記〉的敍述，宋朝著名學者葉夢得即為其六世祖。㉛為此，葉德輝曾編撰專門記載葉夢得事蹟的《石林遺事》，在卷首葉德輝曾如此聲明：

㉙ 汪兆鏞《碑傳集三編》卷四一，〈文苑六〉，許崇熙〈郎園先生墓誌銘〉，見周駿富輯《清代傳記叢刊》第 126 冊（臺北：明文書局，1985），頁 509。

㉚ 葉德輝《觀古堂詩集》，〈還吳集〉丙辰，〈題汾湖三十一世族祖戟甫公誦芬圖五十像冊〉，見《葉德輝集》冊 1，頁 182。

㉛ 崔建英整理〈郎園學行記〉，見《近代史資料》第 57 號（1985 年），頁 126－129。

> 右少保公像，為江蘇蘇州滄浪亭五百名賢相之一。……吾家祖輩畫像滄浪亭者凡七人，自公以下有：昆山派十八世文莊公盛，分湖派二十世尚寶卿紳，郡城派二十三世贈光祿少卿初春，分湖派二十四世工部主事紹袁、大理寺卿少顒，昆山派二十五世文敏公方藹。名卿碩輔為鄉人矜式者皆在吾家，蓋信少保公流澤孔長，其賡續興起之人正未有艾也已。㉜

葉德輝對自己能夠身為葉姓一族的成員之一感到光榮。故而葉德輝對於刊刻與葉氏相關的資料著述，特別是葉夢得的著述的傾向相當明顯。自光緒三十年（1904）起，葉德輝開始刊行葉夢得的著作《岩下放言》。從光緒三十四年至宣統三年間（1908－1911），又陸續刊行了《石林燕語》、《石林詩話》、《禮記解》、《避暑錄話》、《老子解》、《石林家訓》、《石林治生家訓要略》、《建康集》、《石林詞》等，並在宣統三年將它們彙編為《石林遺書》，共十三種。此外，葉德輝在宣統三年曾輯錄並出版了記載葉夢得事跡的《石林遺事》。

除刊行六世先祖葉夢得的著述外，葉德輝也沒有忽視其他顯赫先祖的著述的出版。他在民國以後也陸續刊刻其他葉姓族人的著述，如曾刊行二十四世先祖葉紹袁（1589－1648）所編的《午夢堂全集》。它是葉紹袁於崇禎九年（1636）為其妻女等人精心編輯的一套詩文合集。其中包括葉紹袁夫人及其子女的詩詞集七

㉜ 葉夢得《石林遺書》，葉德輝〈石林家訓．遺像識〉，見《石林遺書》冊1，宣統三年（1911）長沙葉氏觀古堂刊本，頁1。

種，其他選輯本兩種。除此，葉德輝也曾刊刻其二十五世先祖葉燮（1627－1703）的《汪文摘謬》、《己畦文集》、《己畦詩集》，二十六世先祖葉舒璐（1663－？）的《分干詩鈔》和葉舒穎的《學山詩稿》等。葉德輝熱衷於刊刻先人的著作，對保存和流傳這些先人著作起著至關重要的作用。

除刊刻與版本目錄學相關的著作外，葉德輝也積極地出版了不少和其學術旨趣相勾連的著作。像經學方面有《天文本論語校勘記》、《孟子劉熙註》、《經學通詁》、《禮記解》、《老子解》；小學方面有《爾雅補註》、《爾雅圖贊》；史學方面有《元朝秘史》、《輯宋趙忠定奏議》、《宋趙忠定別錄》、《山海經圖贊》、《山公啓事》；傳記方面有《乾嘉詩壇點將錄》、《東林點將錄》、《巴陵人物志》、《楊太真外傳》、《梅妃傳》、《李林甫外傳》、《高力士外傳》、《安祿山事蹟》等；曆書方面有《通曆》；遊藝方面有《遊藝卮言》、《七國象棋局》、《投壺新格》、《譜雙》、《除紅譜》、《打馬圖經》；藝術方面有《辛丑消夏記》、《饋石齋印譜》、《鐵耕齋印譜》、《甌鉢羅室書畫過目考》；數術方面有《瑞應圖記》；宗教方面有《佛說四十二章經》、《佛說十八泥犁經》、《佛說鬼問目連經》、《佛說雜藏經》、《三教搜神大全》；文學方面有《三家詩補遺》、《和金檜門觀劇絕句》、《南嶽總勝集》、《燕蘭小譜》、《沈下賢集》、《唐女郎魚玄機詩》、《金陵百詠》、《嘉禾百詠》、《疑雨集》、《嚴冬有詩集》、《曝書亭刪餘詞》、《木皮道人鼓詞》、《萬古愁曲》、《八指頭陀詩集》、《桐華閣文集》、《桐華閣詞鈔》、《板橋雜記》等。

在葉德輝的刻書中，以清人著述刊刻的最多，約四十多種，其次為宋元人著述，約二十多種，再次為明人著述，近二十種；

隋唐五代十國著述十多種；秦漢和魏晉南北朝人著述分別也有幾種，先秦著述僅一種。其所刊刻的清人著述中，除書目外，也有小學和詩文集。其中以清人詩文集的刊刻最具特色。據葉啟勳說：

> 有清乾嘉之際，人文號稱極盛，當時海宇晏安，士大夫尋盟壇坫，其詩文專集，超軼宋元。大興舒鐵雲孝廉位、錢塘陳雲伯大令文述，曾撰《詩壇點將錄》一書，閱時既久，諸人專集世鮮流傳，獨世父窮年搜訪，所缺不過十之一二，欲待其全彙輯為《詩壇點將錄詩徵》，乃先將已得之集考諸人履貫事蹟做為小傳，復徵引諸家詩話，詳其出處交際，不獨昔人孤詣可免沉淪，而一朝詩派儒風，皆得有所考鏡。㉝

葉德輝十分欣賞舒位（1765－1818）《乾嘉詩壇點將錄》一書，有意繼起彙編《乾嘉詩壇點將錄詩徵》。在私家藏書普遍盲目信仰宋元舊槧的氛圍中，葉德輝對這些舊槧有極其深刻的體認，充分肯定它們的重要價值，但並沒有隨波逐流，反而重視清人之各類著作的搜集，誠屬難能可貴。也正由於他的執著，使得其藏書目所羅列之清人著述足可備後人編纂「清史藝文志之史材」㉞。在留心搜集清人各類著述的同時，也將部分流傳較爲稀少的清人著述予以梓行。

㉝ 葉德輝《郋園讀書志》卷十六後，葉啟勳〈郋園讀書志跋〉，頁419。

㉞ 葉德輝《觀古堂藏書目》卷四後，葉啟倬、葉啟慕〈跋〉，頁156。

值得注意的是，葉德輝乘其熟稔刻書作業的優勢，也刊刻了不少為其政治思想和學術理念服務的書籍。光緒二十四年（1898），湖南維新運動正當如火如荼地展開。葉德輝爲了維護聖教，保持封建社會的正統秩序，竭力與湖南維新人抗辯。針對康有為的《長興學記》、梁啟超的《讀西學書法》、《《春秋》界說》、《《孟子》界說》和《幼學通議》，葉德輝分別撰文，如《《長興學記》駁議》、《《讀西學書法》書後》、《正界篇》、《非《幼學通議》》等文章，集中攻擊和批評康、梁以及其他激進維新派人士所提倡的新學和西學。同年九月，葉德輝把他所撰寫的那些攻擊激進維新派人士的文章、書信及〈湘紳公呈〉、〈湘省學約〉等彙集成《翼教叢編》，假借王先謙門生蘇輿（1874－1914）的名義出版。此書出版後，在反變法人士圈子中即刻取得良好的回應，紛紛叫好。葉德輝的名聲也隨著這部書的廣泛流傳在海內不脛而走，名噪一時。

葉德輝在民國四年被選為湖南教育會會長。同年二月，弟子蔡傳奎起草，葉德輝具名，呈文教育部，對民國成立以後取消讀經課程極爲不滿，要求小學必讀《論語》、《孝經》、《大學》、《孟子》，中學必讀《尚書》、《左傳》等。為講授經學，編著並出版《經學通詁》，指定為教科書。此書旨在引導後學研究經學，故對治經方法進行了較全面的總結與介紹，提出經學研究中的「六證」、「四知」、「五通」、「十戒」等若干規範。[35]

---

[35] 張晶萍〈在知識與信仰之間：論葉德輝的經學思想〉，見郭齊勇主編《儒家文化研究》第2集（北京：三聯書店，2008），頁270－275。

葉德輝刊書雖和一般家刻一樣以流傳文獻、刊刻先人或自己的著作為主要出版目的，內容較爲嚴肅。不過，葉德輝刻書幾乎沒有禁區，遊藝、房中書等內容較爲輕鬆和「汙穢」，而流傳甚少的書籍也都在其刻書範疇以內，其中有《素女經》、《素女方》、《玉房秘訣》、《天地陰陽交歡大樂賦》、《古局象棋圖》、《投壺新格》、《譜雙》、《打馬圖經》等。除出版單行本外，也有叢書梓行，分別有《麗廔叢書》、《麗廔叢書別本》、《雙梅影闇叢書》等。這幾套書籍的刊刻，從某種程度上也反映了葉德輝遊戲人間的態度。

（四）刻書特色

至於葉德輝的刻書特色，究其要者，有以下數端：首先，葉德輝刻書重視罕見的孤本秘笈的刊刻。為使古籍廣為流傳，葉德輝往往就其藏書之中，選取未經傳刻或罕見之本，一一予以刊行。[36]例如朱學勤的《結一廬書目》原來只有稿本和傳抄本，經葉德輝「再三校閱」後才予以刊行。葉德輝談到刊刻此書的緣由說：

> 朱氏有《結一廬書目》四卷，編次極精，每書下注明板刻年月。鈔藏姓名。惜只傳鈔本，不能與海內共讀也。余因

[36] 蔡芳定《葉德輝觀古堂藏書研究》，收錄於潘美月、杜潔祥主編《古典文獻研究輯刊初編》第 10 冊（臺北：花木蘭文化工作坊，2005），頁 63。

> 再三校閱，付之手民。……俾侍郎一生心血得以有托而傳，異日聚散分合，談藏書者亦得有所稽考云。㊲

由於此目頗爲罕見，致「不能與海內共讀」，乃著手校閱並交托手民，使之得以傳世。又如王聞遠（1663－1741）的《孝慈堂書目》原無刻本，葉啟崟提到刊刻此書的來龍去脈說：

> 宜其藏書當時為人珍重，書目至今為人傳鈔，較之藏家無目及身而遺書星散，名姓翳如者，不誠為幸事耶！顧鈔本傳寫每有脫訛，撰人姓名間有缺略，因取黃氏題跋中所有者逐一校勘。黃書散後又歸聊城楊以增海源閣、常熟瞿鏞鐵琴銅劍樓、歸安陸心源皕宋樓、錢塘丁丙善本書室，按之諸家書目，其蛛絲馬跡尚可檢尋。此外，取證於《四庫全書總目提要》、仁和邵懿辰《評注四庫書目》、獨山莫友芝《知見傳本書目》，益以家藏書籍互相參考，補闕正訛，其在疑似之間，莫知所出者則仍其舊，不敢遽改。雖不能毫無遺恨，然固十得八九矣。㊳

葉德輝刊行此書的目的，是因其鈔本經過多人傳鈔後，不免出現訛誤，於是乃囑咐其侄參考各家書目，逐一校勘，補闕正訛，藉以恢復此書的原來面貌，以使它能夠流傳下去。

㊲ 朱學勤《結一廬書目》卷一前，葉德輝〈結一廬書目序〉，見《觀古堂書目叢刻》冊 8（臺北：廣文書局，1972），頁 1980。

㊳ 王聞遠《孝慈堂書目》，葉啟崟〈跋孝慈堂書目〉，見《觀古堂書目叢刻》冊 6，頁 1746。

再如高儒的《百川書志》，王士禎（1634－1711）《居易錄》曾徵引之，黃虞稷（1629－1691）、周在浚（1637－1707）所編的〈徵刻唐宋秘本書目論略〉亦列其名，可知其久為當時士大夫所推重。然而，由於傳本稀見，即《四庫全書》亦未著於目。從乾隆朝到葉德輝生活的百餘年，「中更兵燹水火之厄」。在葉德輝看來，倘若這部書「幸而獲存」，就不能讓它湮沒。葉德輝藏有朱彝尊（1629－1709）曝書亭寫本《百川書志》，乃「得之縣人袁芳瑛臥雪廬」，該書「二十卷之尾損失十許葉」。㊴葉德輝從吳昌綬雙照樓、繆荃孫藝風堂處借得舊抄後，取三家之本勘補彼此脫誤而刻成此本。他在〈校刻百川書志序〉說：

> 明時武人喜藏書者，惟高儒與陳第兩人。陳藏不如高氏之多，而其《世善堂書目》，鮑廷博已刻入《知不足齋叢書》，久為藏書家枕秘；獨此目世閱兩朝，不登於天府，不行於坊肆。遲遲三百年乃得傳之梨棗，是又不幸中之一幸也。㊵

據此可知，葉德輝刊刻此書的目的是為了讓它公諸於世，並讓世人得知明時武人喜於藏書的，除陳第外，還有高儒。

又如宋人陳田夫的《南嶽總勝集》傳世甚少，「《宋史·藝文志》不載，晁公武《郡齋讀書志》地理類有其書目。自元迄明，久無傳刻。」據葉德輝的觀察，此書「在江南赭寇亂後板遂毀

㊴ 高儒撰《百川書志》卷一前，葉德輝〈校刻百川書志序〉，見《觀古堂書目叢刻》冊3，頁739。

㊵ 同上注，頁741－742。

失，以故湘人知有此書者甚少」。幸「兩江制軍陶齋尚書端公奉詔出使遠西，駐節都門，購得宋本，郵寄貽余」。經葉德輝的驗證後，發現《南嶽總勝集》的宋刻本以及幾種版本略有缺損。雖然宋刻本有所缺損，但顧慮到「海內只此孤本，不復再遇」，決定姑且缺之，待得到足本後續刻。刊刻時「悉依宋本。宋諱缺筆及缺文墨塊，皆仍其舊，未敢擅增」。㊶

其次，葉德輝重視刊刻流傳海外的罕見古籍。在選刊圖書的過程中，葉德輝也留意刊行一些已失傳於中土，流傳到海外的罕見之本，希望讓這些秘本得以「還吾故土」。㊷據記載，早在唐朝，日本就派人到中國留學，而且使者到中國來，還「盡市文籍，泛海以還」。㊸在長期的文化交流過程中，日本收藏中國的古籍越來越豐富。經唐、宋、元、明、清歷朝更迭，中國許多書籍不是毀於兵燹，就是湮滅於火水。後來發現，一些罕見之書在日本還能找到。㊹前文指出，葉德輝與日本學者有極其頻繁的交往，和這些日本學者進行古籍的交換是他們主要的交往內容。葉德輝一生刊刻了許多書目，一部分是國內失傳而從日本借得重刊

㊶ 葉德輝《舊刊郋園序跋雜文》，葉德輝〈重刊宋本南嶽集序〉，頁 316—317。

㊷ 佚名《玉房秘訣》，葉德輝〈新刊玉房秘訣序〉，見葉德輝編《雙梅影闇叢書》（海口：海南國際新聞出版中心，1995），頁 56。

㊸ 劉煦等撰《舊唐書》卷一九九上，〈東夷·日本國傳〉（北京：中華書局，2005），頁 5341。

㊹ 鄭偉章〈搜奇覽勝到東瀛的知不足齋叢書〉，見鄭著《書林叢考》（廣州：廣東人民出版社，1995），頁 58。

的。如周弘祖（約 1529－1595）的《古今書刻》在國內流傳甚少，《明史·藝文志》及各家藏書目都沒有收錄此書，甚至清朝修《四庫全書》時也未存目，而在日本卻有流傳。葉德輝因日本駐湘領事井原澄的贈送，獲得一部日本學者島田翰（1879－1915）所著的《古文舊書考》，書後附刻此書上編。後來葉德輝托白岩龍平引介，向島田翰商借得《古今書刻》一書，經過其精心校讎後予以梓行，終於了卻了心願。㊺又如《雙梅影闇叢書》中的《素女經》、《玉房秘訣》、《玉房指要》、《洞玄子》，這些隋唐以前言房中陰陽之術、養生之方的古籍原已失傳，只見存目，幸而日本人丹波康賴（912－995）在北宋雍熙元年（984）寫成一部《醫心方》，將上述諸書的內容分別列入其中。此書在日本沉寂了近九百年，直到清咸豐四年（1854）才刊行於世；又過了五十年，葉德輝偶然發現此書，乃用自己的刻書同日本學者交換得到，然後將它們從中析出，別為刊行，使得失傳一千多年的中國古代性科學著作，得以「還吾故土」，重見天日。㊻至於《天地陰陽交歡大樂賦》是敦煌縣鳴沙山石室的其中一部出土古書，原為唐人抄本，日本影印行世。後為旅居日本的藏書家董康（1867－1947）獲得，轉贈予葉德輝，不久葉德輝即據之重刊。㊼葉德輝持續不懈

㊺ 周弘祖《古今書刻》上編前，葉德輝〈重刊古今書刻序〉，見《觀古堂書目叢刻》冊 2，441－443。

㊻ 彭清深〈試評葉德輝的三部書：《雙梅影闇叢書》、《書林清話》、《書林餘話》〉，見《船山學刊》第 1996 年第 1 期，頁 190。

㊼ 劉肇隅編〈郎園刻板書提要〉，見《葉德輝集》冊 1，頁 15。

地重刊流傳到日本的罕見古籍，使得不少古籍得以重返中土，這個功績不可抹殺。

再者，葉德輝刻書重視選取內容完整的底本，同時又精加校勘。葉德輝曾在光緒三十三年（1907）刊行《乾嘉詩壇點將錄》，後又得足本抄本，經其精心校勘，遂於宣統三年（1911）重刻。其序說明刊行足本的來龍去脈：

> 《詩壇點將錄》，余幼從先世楹書中見之，當時不知為何物，但聞塾師云是乾嘉兩朝詩人事跡焉。稍長，讀《水滸》小說，見諸人綽號皆梁山盜名，意甚駭怪。又久之，得袁枚《隨園詩話》、王昶《湖海詩傳》、洪亮吉《北江詩話》、張維屏《國朝詩人徵略》，略得諸人出處交際，始嘆其比喻之工。迨公車偕計，過夏都中，每從廠甸搜求過朝詩文集部，於是一朝詩派源流，了然在余心目，欲求此錄重刻，則久已遺失，不可復見。光緒丁未，從長沙舊書攤購得同治己巳巾箱本，遂付梓人刊行。旋獲傳抄武進莊氏舊藏足本，較余本少訛字，諸人里貫仕跡，亦較余本稍詳，然所缺者猶多。余據吳鼎雯《詞垣考鏡》、李富孫《鶴徵後錄》及郡邑詩選、各省志乘、詩人詩文本集、集中碑傳文字補之，而是書雖臻完善。㊽

㊽ 舒位《重刻足本乾嘉詩壇點將錄》，葉德輝〈重刻足本詩壇點將錄敘〉，見《雙梅影闇叢書》，頁615－616。

葉德輝不僅留心乾嘉文壇人物的履貫事跡和詩文集的採訪搜集，對這時期文壇人物事跡和詩文集的刊刻亦不遺餘力。又如王應麟（1223－1296）的初刻本《三家詩補遺》的「採輯尚有遺漏」，故乃「重輯此書，極其詳盡」，惜未刊行，葉德輝在「京師得其手稿」後「遂為刊行」。㊾這些都在在地顯示了葉德輝對足本的刊刻的重視。

葉德輝重視藏書的校勘，以為「書不校勘，不如不讀」㊿。在他看來，校勘的益處甚多，他說：

> 校勘之功，厥善有八：習靜養心，除煩斷欲，獨居無俚，萬慮俱消，一善也；有功古人，津逮後學，奇文獨賞，疑竇忽開，二善也；日日翻檢，不生潮霉，蠹魚蛀虫，應手拂去，三善也；校成一書，傳之後世，我之名字，附驥以行，四善也；中年善忘，恒苦搜索，一經手校，可閱數年，五善也；典制名物，記問日增，類事撰文，俯拾即是，六善也；長夏破睡，嚴冬禦寒，廢寢忘食，難境易過，七善也；校書日多，源流益習，出門採訪，如馬識途，八善也。51

葉德輝認為校勘的好處有八，即利於書籍又利於修身養性。至於校勘的方法，葉德輝提出二種：其一為「死校」，「據此本以校彼本，一行幾字，鈎乙如其書，一點一畫，照錄而不改，雖有誤

㊾ 劉肇隅編〈郋園刻板書提要〉，頁12。

㊿ 葉德輝《藏書十約》，〈校勘七〉，見《葉德輝集》第2冊，頁24。

51 同上注。

字，必存原文」，此法亦即所謂「求古」；其二為「活校」，「以群書所引改其誤字，補其闕文；又或錯舉他刻，擇善而從，別為叢書，板歸一式」，亦即所謂「求是」法。[52]此二法，葉德輝認為：「不僅獲校書之奇功，抑亦得著書之捷徑也已。」[53]

由於對校勘的重要性和益處有正確的認識，故葉德輝非常重視藏書的校勘工作。他「每得一書」，「必廣求眾本，考其異同」，且「比勘之後，必有記述題跋」，可見其對於藏書校勘的工作從不懈怠。[54]葉德輝在校勘藏書的過程中，每每發現到前人「刻書而不能校」的情況。他在〈重刊徵刻唐宋秘本書目序〉中說：

> 此目所列大都兩家舊藏，當時納蘭成德刻《通志堂經解》幾舉經部全刻之，其後《武英殿聚珍板叢書》、《知不足齋叢書》又陸續刊行其史、子各種。按目求之，所未刻者僅雜史小帙及宋元人集部數種耳。然雜史一二種藏書家多有抄本，集部亦多明人校刻，雖未刊行而兩人之心亦可慰矣。余嘗以為異書秘籍為人家藏，無由與世人共見，苟得見其書目，俾人人知此書之在人間，抑或有好事者搜求重刊之一日，故目錄之學，不獨增廣聞見，亦且闡揚幽潛，如此目所傳即其明證也。余以暇日校錄重刊，即所見各書有刻本者，別為《考證》一卷，附錄於後，將之貽之有同

---

[52] 杜邁之、張承宗《葉德輝評傳》(長沙：岳麓書社，1986)，頁 72。
[53] 葉德輝《藏書十約》，〈校勘七〉，見《葉德輝集》第 2 冊，頁 24。
[54] 關於葉德輝的校勘學方法，可參閱本書〈略論葉德輝及其校勘學〉的討論。

好者。雖然前人藏書而不能刻，後人刻書而不能校，如通志堂、知不足齋，皆不免為後人訾議，是亦美猶有憾之事也。安得顧千里、黃蕘翁一輩人更生於今日是也耶！55

據上所引，我們知道葉德輝重刊此書的目的不僅是為增廣聞見，亦是為闡揚幽潛。另外，此書在葉德輝刊刻前已有通志堂本、武英殿聚珍版本以及知不足齋本，但由於這些刻書者僅知「刻書而不能校」（特別是通志堂和知不足齋），故「皆不免為後人訾議，是亦美猶有憾之事也」。由於之前刊本校勘不精，因此，葉德輝「以暇日校錄重刊，即所見各書有刻本者，別為《考證》一卷，附錄於後，將之貽之有同好者」。故而葉德輝不僅對藏書進行校勘的工作，對其所刊刻的圖書也進行了精審嚴謹的校勘工作。

除運用活校法校勘刻書外，葉德輝也採用死校法校勘擬刻圖書。例如他從島田翰處借得其所藏明刊本《古今書刻》後，在刊行前予以精心校勘，雖「書中偶有誤字」，但他在刊刻此書時「一仍其舊，以明無所擅改」。至於書中的一些宋代時的別體字，葉德輝在刊印時也不予糾正，「以存其真」，「俾讀者如見四百年前古物，抒懷舊之蓄念，發思古之幽情」。56

在葉德輝的刊書中，署其名所校勘的圖書有《鬻子》、《傅子》、《曝書亭刪餘詞》、《石林燕語》、《徵刻唐宋秘本書目》和《汪文摘謬》等。此外，還有繆荃孫校記的《安祿山事跡》、其學

55 黃虞稷、周在浚撰《徵刻唐宋秘本書目》，葉德輝〈重刊徵刻唐宋秘本書目序〉，見《觀古堂書目叢刻》冊 5，頁 1422－1423。

56 周弘祖《古今書刻》，葉德輝〈重刊古今書刻序〉，頁 441－443。

生劉肇隅編校的《徐松說文段註札記》、《龔自珍說文段註札記》、《桂馥說文段註鈔按》等。其他刊書雖沒有註明校勘與否，但以葉德輝對刻書的謹慎態度來說，相信都已經過他或其友朋子弟的精審。由於葉德輝對校勘的益處有著正確的認識，故而能嚴謹地對待所刊圖書的校勘工作，這些工作也直接地提高了其刻書的質量與價值。

最後，葉德輝刻書多延請精工良匠寫刻雕版。葉德輝所著之書，多耗費時力，精研而成；所刻前人之書，多為罕見的孤本秘笈。因而在刊刻時倍加珍視，不惜重資延請有名的刻工手寫上版。隨著官刻、私刻的興盛，尤其是隨著同治、光緒以來近代出版業的興起，西方印刷技術的傳入和民眾文化生活需求的增大，民間刻書坊印書的贏利空間大爲減少，生存狀況相當嚴峻。刻書坊在這時期開始分化，一部分以經營銷售為主，間或刻書；一部分既自行刊印書籍，亦接受委託刻書；還有一部分則是專門接受委託刻書業務的專業作坊。比如，以擅長刊刻仿宋體及軟體字聞名於清末民初的湖北黃岡人陶子麟（1857－1928），專營刻書業，在武昌設刻書鋪，除為近代藏家學者如繆荃孫、劉世珩（1875－1926）、劉承幹（1882－1963）、董康（1867－1947）、楊守敬（1839－1915）等諸人摹刻古書，也曾替葉德輝寫刻上版。[57]此

---

[57] 陶子麟是清末民初全國四大著名刻工之一，以摹刻仿宋體及軟體字為特長，當時有「陶家宋槧傳天下」的美譽，曾為許多知名藏書家及士紳學者刻過書。其所刻書在封面或卷尾多刻有「黃岡陶子麟鐫」或「武昌陶子林（霖）鐫」等牌記。陶氏身兼刻工與出版家的雙重身分，刊刻圖書並經營銷售。關於陶氏刻書的品種、數量和特

外，永州零陵良匠艾作霖也曾替葉德輝刻書。[58]葉德輝在《書林清話》中說：

> 同、光之交，零陵艾作霖曾為曹鏡初部郎耀湘校刻《曾文正公遺書》及釋藏經典。撤局後，遂領思賢書局刻書事，主之者張雨山觀察祖同、王葵園閣學先謙與吾三人。而吾三人之書，大半出其手刻。[59]

艾氏逝後，有永州蔣姓精工在長沙文運街設刻字店，為葉德輝寫刻《籀文考證》、《六書古微》、《說文假借考》等著述，所刻字畫清秀分明，圓潤雅美，堪稱精品。這類以名手良匠寫刻而成的著述，流傳至今，已成為雕版印刷的珍品，在前朝善本難覓求的情況下，其研究和收藏價值扶搖直上，堪與明代善本等價。[60]

點，可參閱江陵〈清末民初武昌陶子麟書坊刻書業考略〉，見《長江論壇》2008年第4期，頁82－85。

[58] 在近代早期的湖南，永州是出刻工的地方。正如徐珂（1869－1928）云：「湖南永州人民，類以剞劂為業，婦孺且有從業者，牧牛郊野，輒手握槧倚樹根鑄之。」（徐珂《清稗類鈔》第5冊，〈工藝類〉[北京：中華書局，1984]，頁2397）這一時期的刻工大部分是受雇書局或專門的刻書作坊；也有的挑著工具四處承攬生意流動營業；有的甚至遠走湘東、江西和廣東等省。參閱郭平興〈近代早期湖南刻工與技工研究：兼論近代湖南印刷技術的改革〉，見《九江學院學報》2007年第1期，頁46。

[59] 葉德輝《書林清話》卷九，〈古今刻書人地之變遷〉，頁10。

[60] 江淩〈試論清代兩湖地區私家刻書的特點及其興盛原因〉，見《湖南文理學院學報(社會科學版)》2008年第4期，頁81。

(五) 相關活動

值得指出的是，葉德輝雖然在政治上和思想上表現得較爲保守，但對清末的官書局和民國以後的現代民營出版企業的發展，不僅採取了相當開放的態度接納，甚至還身體力行，親身參與官書局和現代民營出版企業的出版工作。

同治以後，在湖南開設的官書局有傳忠書局、思賢書局和湖南官書局等。[61]當時的官書局往往延聘學有專長的學者來主持書局業務。像成立於光緒十六年（1890）的湖南思賢書局先後由曹耀湘、艾作霖、王先謙、張祖同等著名學者擔任主持和校勘，葉德輝也曾受邀約負責這些工作。在這些學者的主持下，思賢書局在存在的 30 年間，約刻書 78 種。思賢書局所刻書注重實用，校勘認真，字體雅致，甚為暢銷，亦為後人稱道。[62]

除主持思賢書局的業務外，葉德輝亦對由商務印書館出版的《四部叢刊》這套近代著名的善本叢書的成功版行立下不少汗馬功勞。葉德輝和《四部叢刊》主編張元濟（1867－1959）頗有交情。他除了附議《四倍叢刊》的刊刻外，也曾與張元濟商討刊印這套叢書時必須遵守的事項與原則。他也曾積極地為這套叢書訪求善本奔波，為的是希望這套叢書所收盡是最完善的本子。他為這套叢書篩選了宋元舊刻、明刻精校名抄之十三經、二十四史、

[61] 吳瑞秀《清末各省官書局之研究》，收錄於潘美月、杜潔祥主編《古典文獻研究輯刊初編》第 11 冊，頁 36－37。

[62] 葉再生《中國近代現代出版通史》第一卷（北京：華文出版社，2002），頁 354－356。

周秦兩漢諸子以及歷朝名人詩文集，共四百種三千本。這些舊刻都是自南北藏書家處借得，其中《說文解字》宋刻本原存浙江陸心源（1838－1894）家，後來陸氏之書為日本岩崎氏靜嘉堂所購。葉德輝又通過白岩龍平，向岩崎後人商借《說文解字》影印，幾經函商，終使《四部叢刊》免遺珠之憾。[63]除了是一個積極的倡議者外，葉德輝也曾將自己的珍藏借出作為這套叢書的刊印底本，包括明翻宋岳氏刊本《周禮》十三卷六冊、徐氏翻宋刊本《儀禮》十七卷五冊、日本正平刊本《論語集解》十卷二冊、明刊本《古列女傳》七卷續一卷三冊和明刊本《鹽鐵論》十卷二冊等五種。因此，當我們在盛讚張元濟對這套叢書的功勞時，也不可忘記其他參與者所付出的汗水，而葉德輝就是其中一個被遺忘的功臣。[64]

四、葉德輝刻書的影響以及學者對其刻書的評價

謝國楨在〈叢書刊刻源流考〉一文中論述清道、咸至光、宣五十多年叢書刊印的情況時指出：「清季所刻叢書，所以能有其成就者，則以有力主其事之人也。其中當推陸心源、楊守敬、葉德輝、繆荃孫等，後此則為羅振玉、王國維、張元濟、傅增湘諸人。其搜輯鑑別，研賾校讎，深詣孤造，各有其獨到之處。」葉德輝在此亦在謝國楨例舉「有其成就」的刻書家之列，說明葉德輝所刻叢書價值不可忽視。謝國楨在評論葉德輝的刻書成就時說

---

[63] 葉啟勳《拾經樓紬書錄》上，跋北宋刊小字本《說文解字》十五卷，見《書目叢編》第16種（臺北：廣文書局，1967），頁7－10。

[64] 詳參本書〈葉德輝與《四部叢刊》〉的討論。

他「精於校讎，著有《觀古堂所著書》、《彙刻書目》等書，其子啟倬輯為《郎園先生全書》」，又指出其「《彙刻書目》收集書目實廣，如所刊《徵刻唐宋秘本書啟》，可以知刊刻古籍之源流；校刊《天文本》單經《論語》，輯《孟子》劉熙注，皆可羽翼經學；輯《趙忠定奏議》亦有補於史事，惟所刊《雙梅影闇叢書》，大為世人所詬病云」[65]。謝國楨在這裡肯定了葉德輝所刊刻的叢書的價值，惟對其所刻《雙梅影闇叢書》的價值則持保留的態度。

平心而論，在葉德輝所刊刻的叢書中，當以《觀古堂書目叢刻》的成就和影響最大。葉德輝可以說是中國刻書史上刊刻書目最多的私人刻書家。據長澤規矩也《中國版本目錄學書籍解題》考察，以叢書名義校刻書目的私人刻書家除葉德輝的《觀古堂書目叢刻》外，尚有朱彝尊編的《潛采堂書目》四卷，江標編的《江刻書目》，王存善編的《二徐書目》和陶湘（1871－1940）編的《陶氏編刊書目》等四家。《潛采堂書目》共收四種書目：《全唐詩未備書目》、《明詩綜採摭書目》、《兩淮鹽筴書引證書目》和《竹垞行笈書目》。《江氏書目》由《鐵琴銅劍樓宋元本書目》、《豐順丁氏持靜齋書目》和《海源閣藏書目》三種組成。《二徐書目》包括《傳是樓書目》和《培林堂書目》兩種。《陶氏編刊書目》由三冊組成，一冊收《清代殿版書目》、《武英殿聚珍版書目》、《欽定校正通志堂經解目錄》、《欽定石經目錄》、《昭仁殿天祿琳琅》、《五經萃室藏宋版五經》、《欽定文淵閣四庫全書目錄》、

[65] 謝國楨〈叢書刊刻源流考〉，見謝著《明清筆記談叢》（上海：上海古籍出版社，1981），頁221－223。

《摛藻堂四庫全書薈要目錄》；一冊錄《內府寫本書目》、《武英殿造辦處寫刻刷印工價並顏料紙張定例》；一冊包括《明吳興閔版書目》、《明毛氏汲古閣刻書目錄》、《明代內府經廠本書目》。[66]就量而言，《陶氏編刊書目》雖可以和《觀古堂書目叢刻》比美，但仍較《觀古堂書目叢刻》少。《潛采堂書目》、《江刻書目》和《二徐書目》所校刊書目的種數，和《觀古堂書目叢刻》比較起來就顯得相形見絀。[67]

汪辟疆在〈叢書之源流類別及其編索引法〉中談到中國近代叢書的發展時就曾指出這時期重視刊印專門之叢書，以目錄學叢書來說「長沙葉氏之《觀古堂書目叢刻》」為這時期「叢書中之魁壘」。[68]張壽平在〈觀古堂書目叢刻敘錄〉評論《叢刻》的重要性說：

> 《觀古堂書目叢刻》，湘譚葉德輝考校刻印之書目叢書也。葉氏為近世目錄版本學家，所刻書目，自屬上選，而巨眼卓識，考校尤精。……合計書目十五種，凡四十八卷，內一種不分卷。於是厥觀始偉，實大有助於吾人補訂史志、考證版本之事。[69]

---

[66] 長澤規矩也編著，梅憲華、郭寶林譯《中國版本目錄學書籍解題》（北京：書目文獻出版 社，1990），頁 245－247。

[67] 沈俊平〈葉德輝及其觀古堂書目叢刻〉，見《書目季刊》第 34 卷第 1 期（2000 年 12 月），頁 33。

[68] 汪辟疆〈叢書之源流類別及其編索引法〉，見汪著《目錄學研究》（臺北：文史哲出版社，1990），頁 101。

[69] 張壽平〈觀古堂書目叢刻敘錄〉，見《觀古堂書目叢刻》冊 1，頁 1。

總的說來，葉德輝校刊無利可圖的書目叢書的苦心，主要是因為他對這個學術領域情有獨鍾，加上個人能力允許，使這些流傳較少的稀見和舊抄書目，以及經自己精心考證後的書目得以公諸於世，使有志於此道者受益。因此能給予後人留下一批可貴的版本目錄學遺產，這是葉德輝在這個學術領域的成就之一。

前文指出，不少學者對其所刊刻的《雙梅影闇叢書》頗有微辭。這套叢書收書十七種，包括《素女經》、《素女方》、《玉房秘訣》、《玉房指要》、《洞玄子》、《天地陰陽交歡大樂賦》、《青樓集》、《板橋雜記》、《吳門畫舫錄》、《燕蘭小譜》《海漚小譜》、《秦雲英錄》、《木皮散人鼓詞》、《觀劇絕句》、《萬古愁曲》、《乾嘉詩壇點將錄》初刻、重刻各一種和《東林點將錄》。在批評葉德輝刊行《雙梅影闇叢書》的人們中，胡耐安可說是少數極力為葉德輝平反者，他說：

> 在我後生小子看來，這便是「人性率真」處，去偽存真，存真：真理才得以長存。讀《素女經》，正可盡其「飲食男女」之精微奧妙的義理；自無玷污於人性的獸性化；《禮記·禮運》可不也說過「飲食男女，人之大欲存焉」的話；反過來說，設或不是這樣那樣的有一「經」，豈不免有異的「幾希」都烏有了吧？且談《素女經》：《素女經》者，可稱之曰中國最古老的「性」寶典，託名黃帝，所謂「盡軒皇圖藝」的書，其間描寫男女好合，字裡行間，毫不隱諱，真個繪摹聲色，活躍紙上。

又說：

其實，葉的學問，固不僅此一書的「問答」而已。聽說還有不少「正經」書，無害於聖賢之學的「好書」行世；可堪惋惜的，舉世滔滔，大家都只屬目葉的「邪門」歪書。(70)

的確，在人們以葉德輝刊行《雙梅影闇叢書》這套「性寶典」為把柄攻擊他的品德的同時，也不可對其「正經」學問的成就與貢獻視而不見。《雙梅影闇叢書》可能只是葉德輝一時性起時的遊戲之作，也可能是其人性率真一面的真實反映。進一層說，葉德輝所以會刊行這套叢書，在一定的程度上是受到時代思潮的驅使。據焦文彬研究，從明到清，是一個「對性欲的放縱與狂烈追求」的時代。所以會出現這種逆反現象，是由於宋明理學家對性欲絕對禁忌，乃引起了人們對性欲的神秘感的好奇，而這種神秘感乃引起了人們對性欲的嚮往與狂熱渴求。由於人們有這種要求，「對性欲和性交行為的赤裸裸描寫，公然走入文學的殿堂」。「在這些性欲文藝中，既有色與情的交互描寫，也有靈與肉的不可分割，更有撕去一切遮羞布的具體性交過程。總之，縱欲的畫面與場面，應有盡有，千姿百態，爭豔鬥奇。」(71)從這裡，我們可以進一步想見在當時刊行這類「人欲」描寫的書籍必然會帶來巨大的商業利益。因此，葉德輝刊行《雙梅影闇叢書》亦可能是著眼於它能夠帶來的商業利益。據說這套叢書刊行後，在市面上引起搶

(70) 胡耐安〈名士風流葉德輝〉，見《傳記文學》第 17 卷第 4 期（1970 年），頁 73。

(71) 焦文彬《人欲與天理：元明清中人性的覺醒》（西安：陝西人民出版社，1992），頁 132－136。

購熱潮，「一時膾炙人口，所謂天下讀書人幾幾乎莫不欲得而讀之；即令是道貌岸然的君子儒輩，也嘗是隱在暗室裡一快讀之」。[72]據說張之洞久慕此書之名，本欲煩勞辜鴻銘（1857－1928）向葉德輝代借讀之。辜鴻銘告知葉德輝素有「老婆不借，書不借」之言，「張之洞默然，遂罷其議」。實際上，辜鴻銘在當時也以專收春畫著稱，葉德輝則以收集性書有名。「其所不同者，葉德輝所藏，率皆古籍，收集較難；辜鴻銘取材，實易如反掌。」[73]倘若我們以純學術的角度來看待這套叢書，事實上它有功於古代典籍（特別是「房中術」之類的書籍）的保存，有助於今日較開明的學者進行中國古代的性文化研究。

實際上，若單就其中所收錄的房中書，如《素女經》、《素女方》、《玉房秘訣》、《玉房指要》，以及記載梨園青樓事跡，優伶歌姬傳譜的《青樓集》、《板橋雜記》、《吳門畫舫錄》、《燕蘭小譜》、《海漚小譜》、《秦雲英錄》，就輕率地否定這套叢書的價值，則難免有以偏概全之嫌。《青樓集》、《板橋雜記》、《吳門畫舫錄》、《燕蘭小譜》、《海漚小譜》、《秦雲英錄》等雖不免有青樓薄倖之嫌，然它們譜系各地優伶娼妓，於文化史的研究似不無裨益。除此之外，這套叢書還收明人賈凫西（1590－1675）撰的《木皮散人鼓詞》、清人金僧門作的《觀劇絕句》和歸莊（1613－1673）作的《萬古愁曲》三種，以鼓、詩、詞、曲的形式，抒發心中之不

---

[72] 胡耐安〈書林清問葉郎園〉，見胡著《六十年來人物識小錄》（臺北：臺灣商務印書館，1977），頁 89。

[73] 王覺源〈怪誕不稽的辜鴻銘〉，見王著《近代中國人物漫譚》（臺北：東大圖書公司，1987），頁 494－495。

平，發千古興替之慨，皆為詠史之作。《乾嘉詩壇點將錄》初刻、重刻各一種和《東林點將錄》共三種，為文人排名榜，於明清文學資料的保存亦功不可沒。[74]

必須指出的是，葉德輝所刊刻圖書，有不少成為今日出版的叢書的底本。特別是《觀古堂書目叢刻》中的各種書目，經常為各種綜合叢書，如《續修四庫全書》、《叢書集成續編》，以及專門叢書，如《宋元版書目題跋輯刊》、《明代書目題跋叢刊》、《書目叢編》等採用為底本。另外，其所刊《乾嘉詩壇點將錄》也為《續修四庫全書》和《叢書集成續編》定為底本；《傅子》也為《續百子全書》所收。另外，像《淮南鴻烈閒詁》、《洞玄子》、《玉房秘訣》、《素女經》、《瑞應圖記》、《三教源流搜神大全》、《佛說十八泥犁經》、《佛說鬼問目蓮經》、《佛說雜藏經》、《佛說四十二章經註》、《餓鬼報應經》、《石林家訓》以及《石林治生家訓要略》等也都為《叢書集成續編》取用為底本。這說明葉德輝的刻書有其不可漠視的價值，否則這些叢書就不可能會以他的刊書為底本了。

五、結論

綜上所論，說明葉德輝的刻書不僅數量多，且刻書內容相當廣泛。和當時其他的刻書家一樣，葉德輝刊刻了不少內容嚴肅的圖書，如經學、小學、子書、曆法、史書、書目、傳記、藝術、家集、詩集等，大多與其學術喜好息息相關。不過，其刻書可說

---

[74] 葉德輝編《雙梅影闇叢書》，〈出版前言〉，頁2。

幾乎沒有禁區。他還刊刻不少遊藝、房中書等內容較爲輕鬆和「汙穢」，而流傳甚少的書籍，這些也都在觀古堂的刻書範疇之內。此外，葉德輝不僅重視刊刻個人著述與家集，也非常重視罕見的海內外孤本秘笈的刊刻，不僅使得其著述和家集得以流通，也使不少稀見古籍得以全貌重見天日，於保存文獻，羽翼學術居功至偉。加上葉德輝亦非泛泛之輩，乃是一位具真知灼見之士，熟悉校勘之學；其校過之書，一旦刻成圖書，孤本文獻因此得以保存。雖然葉德輝在操守方面有其可議之處，但他仍不愧為清末民初一個具有代表性的刻書家，今人對其在這方面的貢獻不應漠視，應該給與正面的肯定，這應當沒有過於溢美之嫌。

拾、葉德輝與《四部叢刊》

一

《四部叢刊》是近代著名的善本叢書，張元濟（1867－1959）輯，商務印書館影印出版。張元濟，字筱齋，號菊生，浙江海鹽人，是著名的出版家和版本目錄學家。光緒十八年（1892）進士，授翰林院庶吉士，歷任刑部主事，總理各國事務衙門章京。光緒二十二年（1896）創辦通藝學堂，積極參加維新運動。戊戌變法失敗後被革職，旋去上海，致力於文化出版事業。光緒二十八年（1902）年進商務印書館，先後任編譯所所長、經理、監理、董事長。他精於版本目錄學，為古籍整理出版作出重大貢獻；曾傾全力搜購中外名著和古籍善本，創建涵芬樓和東方圖書館；又曾刊印《涵芬樓秘笈》、《四部叢刊》、《續古逸叢書》、《百衲本二十四史》等。❶

❶ 趙國璋，潘樹廣主編《文獻學辭典》（南昌：江西教育出版社，1991），頁474－475。欲了解張元濟的生平與事業可參閱吳方《仁智的山水：張元濟傳》（上海：上海文藝出版社，1994）、王英《一代名人張元濟》（濟南：濟南出版社，1992）、葉宋曼瑛著，張人鳳、鄒振環譯《從翰林到出版家：張元濟的生平與事業》（香港：商務印

日人武內義雄在談到《四部叢刊》的價值時說：

> 《四部叢刊》實為中國空前之一大叢書，全部冊數有二千餘冊之多，非以前叢書可比。即其選擇之標準，亦與向來叢書全然不同。所收之本，悉為吾輩一日不可缺之物，如經部收《十三經》單注本及《大戴禮》、《韓詩外傳》、《說文》等，史部收《二十四史》、《通鑑》、《國語》、《國策》。而如同一普通之叢書，如《通志堂經解》、《經苑》、正續《皇清經解》、《九通》、《全唐文》、《全唐詩》等，則一切不採。尤可注意者，選擇原本，極為精細。於宋、元、明初之舊刻，或名家手校本中，務取本文之尤正確者。並即其原狀影印，絲毫不加移易。故原書之面目依然，而誤字除原本外，決無增加之慮。❷

武內義雄在這裡指出《四部叢刊》的特色：一、「所收之本，悉為吾輩一日不可缺之物」；二、「如同一普通之叢書」，「則一切不採」；三、「選擇原本，極為精細」，「並即其原狀影印，絲毫不加移易」。

《四部叢刊》之印行，可以解決「求書難」、「流行版本差」兩個問題。此舉之興，張元濟有「七善說」：

書館，1992）以及其子張樹年《我的父親張元濟》（上海：東方出版中心，1997）等等。

❷ 武內義雄〈說《四部叢刊》〉，轉引自葉德輝《書林餘話》卷下，民國十七年（1928）上海澹園刊本，頁 22 。原載於《支那學》第 1 卷第 4 號（1920 年 12 月），頁 76－79。

彙刻群書，昉於南宋，後世踵之，顧其所收，類多小種，足備專門之流覽，而非常人所必需。此其所收，皆四部之中，家弦戶誦之書，如布帛菽粟，四民不可一日缺者，其善一也。

明之《永樂大典》，清之《圖書集成》，無所不包，誠為鴻博；而所收古書，悉經剪裁。此則仍存原本，其善二也。

書貴舊本，昔人明訓；麻沙惡槧，安用流傳！此則廣事購借，類多秘帙，其善三矣。

求書者縱胸有晁陳之學，冥心搜訪；然其聚也非在一地，其得也不能同時。此則所求之本，具於一編，省事省時，其善四矣。

雕版之書，卷帙浩繁，藏之充棟，載之專車，平時翻閱，亦屢煩乎轉換。此則石印，但略小其匡而不並其葉，故冊小而字大，冊小則便庋藏，字大則能悅目，其善五矣。

鏤刻之本，時有後先，往往小大不齊，縹緗異色，以此插架，殊傷美觀。此則版型紙色，校若畫一，列之清齋，實為美雅，其善六矣。

夫書貴流通，流通之機，在於廉價。此書搜羅宏富，計卷逾萬，而議價不特視今時舊笈廉至倍蓰，亦較市上新版亦減至再三；復行預約之法，分期交付，既可出書迅速，使

> 讀者先睹為快，亦復分年納價，使購者置重若輕，其善其也。❸

對於印行大型古籍叢書而言，上述考慮不失為最適當可行的安排。而謀其事主其政者亦非張元濟不可。由於張元濟本身即為版本與印刷的內行人，又與海內公私藏書機構交往密切，信譽誠孚，足以歆動各公私藏書機構出其所儲，敷應選目。果然，經張元濟號召後，學術版本目錄名流紛紛響應，並聯名發佈通啟，各出珍藏。

這套叢書從 1919 年底開始印製，於 1922 年底出版，僅僅花費四年時間即殺青。據〈四部叢刊刊成記〉載：

> 《四部叢刊》始於己未，越今乃潰於成書三百二十三部，都八千五百四十八卷，二千一百冊。賴新法影印之便，如此巨帙煞青之期，僅費四年，誠藝林之快事。採用底本，涵芬樓所藏外，尤承海內外同志之力，得宋本三十九、金本二、元本十八、影宋寫本十六、影元寫本五、校本十八、明活字本八、高麗舊刻本四、釋道藏本二，余亦皆出明清精刻。❹

《四部叢刊》所以能夠在短時間內完成刊印的工作，得力於藏書家的慷慨借出善本精刻不少。葉德輝和張元濟頗有交情，在當時

---

❸ 張元濟〈刊行四部叢刊啟〉，見《四部叢刊書錄》(上海：商務印書館，1922)，頁 1。

❹ 〈四部叢刊刊成記〉，見《四部叢刊書錄》，頁 1。

曾積極參與了這份工作。在〈印行四部叢刊啟〉所列的二十六人的名單中，葉德輝的名字也在裡面❺，說明葉德輝是這個計畫的發起人之一。

二

葉德輝和張元濟之間的交往應該是從光緒十八年（1892）開始的，那年他們兩人同在會試中及第，並授予官職。這時期的直接交往僅維持了幾個月時間就因葉德輝以乞養為名，請假回湘而斷絕了，但相信他們之間仍有書面來往。

据葉德輝之侄葉啟勳回憶：

> 辛酉秋，余因事赴滬。適大伯父文選君因張菊生年伯元濟有《四部叢刊》之舉，乞大伯編定，由蘇州來申，遂得盡窺涵芬樓諸秘笈。❻

由於和張元濟交情頗佳，故葉德輝得以閱讀張元濟涵芬樓藏書。葉啟勳因伯父葉德輝和張元濟有《四部叢刊》之舉，藉以得到參觀涵芬館的機會，可見葉德輝應當是涵芬樓的常客。

由於與張元濟私交甚篤，當張元濟號召刊印《四部叢刊》時，即刻得到葉德輝的支持。

---

❺ 〈四部叢刊刊成記〉，見《四部叢刊書錄》，頁 1。

❻ 葉啟勳《拾經樓紬書錄》上，跋明嘉靖乙酉王延哲刻本《史記》一百三十卷，見《書目叢編》第 16 種（臺北：廣文書局，1967），頁 26 下－27 上。

葉德輝在《四部叢刊》的刊印工作擔任什麼角色呢？他在談到刊印《四部叢刊》的緣起時說：

> 乾嘉以來，黃蕘圃、孫伯淵、顧澗蘋、張古餘、汪閬源諸先生影刊宋、元、明三朝善本書，模印精工，校勘謹慎，遂使古來秘書舊槧，化身千億，流布人間。其裨益藝林，津逮來學之盛心，千載以下，不可得而磨滅也。……海通而後，遠西石印之法，流入中原，好事者取一二宋本書，照印流傳。形神逼肖，較之影寫付刻者，既不廢校讎之日力，尤不致摹刻之遲延。藝術之能事，未有過於此者。惟其所印者未能遍及四部，成為巨觀。江陰繆藝風荃孫、華陽王息塵秉恩兩先生，慫恿張菊生同年元濟以商務印書館別舍涵芬樓，徵集海內藏書家之四部舊本書，擇其要者為《四部叢刊》，即以石印法印之。繆、王二人皆南皮張文襄門下士，初擬按文襄《書目答問》所列諸本付印。詢之於余，余力言其非，以為文襄《書目》行之海內數十年，稍知讀書者，無不奉為指南，按目購置。今惟取世不經見之宋元精本縮印小冊，而以原書大小尺寸載明書首。庶剞劂所不能盡施，版片所不能劃一者，一舉而兩得之。菊生以為善也。其時常熟瞿氏鐵琴銅劍樓所藏宋元版書，甲於南北，主人瞿良士啟甲，風雅樂善，得余介紹，慨然盡出所藏，借之影印。京師圖書館之書，則因傅沅叔同年之力，得以相假。江南圖書館所藏，則光緒末年豐潤忠愍端方總督兩江時購自仁和丁氏八千卷樓者，其中亦多宋元舊本，

> 商之齊鎮岩撫部耀琳，飭司館書者悉選其精善完整之本，在館印出。余又從日本百岩子雲龍平向其國岩崎氏靜嘉堂假得宋本《說文解字》，為孫氏平津館仿宋刻所自出者，此吾國第一孤本，為歸安陸氏皕宋樓售出。今幸珠還，不可謂非快事也。同時，嘉興沈子培方伯同年曾植、江寧鄧正庵編修邦述、獨山莫楚生觀察棠、新建夏劍丞觀察敬觀，皆與其事。展轉商定，自戊午創議，迄壬戌告成。為書二千餘冊，為卷一萬有奇，萃歷朝書庫之精英，為古今罕有之巨帙。❼

這裡說明《四部叢刊》的刊印緣起和刊成的整個過程。在這個過程當中，葉德輝本來是擔任顧問的工作，後來卻變成這個計畫的積極倡議者。

葉德輝在張元濟籌備刊印《四部叢刊》期間為這套大塊頭的叢書成功版行立下不少汗馬功勞。葉啟勳記載葉德輝倡議刊印《四部叢刊》說：

> 十餘年前，先世父考功君與海鹽張菊生侍郎元濟、江安傅元叔學使增湘倡印《四部叢刊》，集南北收藏家之秘笈，以供採擇。❽

---

❼ 葉德輝《書林餘話》卷下，頁 14 下－16 上。

❽ 葉啟勳《拾經樓紬書錄》上，跋北宋刊小字本《說文解字》十五卷，頁 7 上。

他曾和張元濟商議刊印這套叢書時必須遵守的事項與原則。又在致張元濟的信說：

> 連日晤談極快，回蘇後即將致瞿良士書封寄，並寄《四部叢刊》目錄一本，亦經弟校改一過者。……今日海內藏書家故以江南之瞿，山左之楊為南北兩大國，然其他藏書之人所藏亦有出於二家之外者。此次彙印板本取異不取同，徵求則就近不就遠。一則利在保留古本，一則利在易借荊州，蓋必如此始足達吾輩流通古書之素心，而其途亦較有歸宿也。❾

以上文獻說明葉德輝曾為《四部叢刊》採擇底本、借印典籍以及借印原則等事，和張元濟有頗為頻繁的往來，說明葉德輝於刊印《四部叢刊》一事扮演著舉足輕重的角色。

為了使這套叢書所收盡是最完善的本子，葉德輝曾四處向藏書家借書。在 1916 年致瞿啟甲〈與瞿良士借印四部宋元善本書啟〉一封信，信中提到與張元濟倡議刊印《四部叢刊》一事：

> 弟數年前與張鞠生同年倡為《四部叢刊》之議，欲合四部最要最善之本聚於一編。……今春重來海上晤鞠生同年，再申前議，袖出擬印各種書目，商酌去取異同。弟一一為之覆勘，頗有增省。……鞠生同年創設商務印書館逾二十

---

❾ 葉德輝《郋園山居文錄》卷下，〈與張菊生同年論借印《四部叢刊》書〉，見《葉德輝集》冊 2，頁 121。

> 年，印行學堂教科書，利過校印古書倍蓰。今亟亟與弟圖畫及此者，誠以黃流絳雲之厄，千古讀書者所痛心。❿

葉德輝積極的為這套叢書訪求善本奔波，曾致信向瞿啟甲商借其藏書中的宋元善本。這是因為即使合張元濟和他自己的收藏，也無法與瞿啟甲之藏匹敵。⓫瞿啟甲不吝通假，提供底本八十種供《四部叢刊》刊印用途。瞿氏此舉，深為人所稱道。⓬

除了是一個積極的倡議者外，葉德輝也曾將自己的珍藏借出供影印用途。武內義雄在〈說《四部叢刊》〉一文中指出：

> 至其甄採之材料，則以商務印書館年內搜集珍秘之涵芬樓藏本為主，餘則自江南圖書館、北京圖書館、常熟瞿氏鐵琴銅劍樓、江安傅氏雙鑑樓、烏程劉氏嘉業堂、江陰繆氏藝風堂、無錫孫氏小淥天、長沙觀古堂、烏程蔣氏密韻樓、南陵徐氏積學齋、上元鄧氏群碧樓、平湖葛氏傳樸堂、閩縣李氏觀槿齋、海鹽張氏涉園、德化李氏、杭州葉氏等，名家秘笈，選擇採錄。

又說：

---

❿ 葉德輝《郋園山居文錄》卷下，〈與瞿良士借印四部宋元善本書啟〉，頁 121。

⓫ 同上註，頁 120－121。

⓬ 藍文欽《鐵琴銅劍樓藏書研究》（臺北：漢美圖書公司，1991），頁 64。

> 清藏書家以吳縣黃丕烈為第一。黃氏之書，後移於汪士鍾之藝芸精舍。汪沒，歸常熟瞿子雍、聊城楊紹和。晚近則陸心源皕宋樓、丁丙之八千卷樓，兩家藏書，稱與瞿、楊相頡頏、《四部叢刊》中收採尤多之江南圖書館藏書，即八千卷樓之物，而鐵琴銅劍樓亦多精本。故瞿、丁兩家之尤者，大多網羅其中。惟楊氏之書則一不入選，陸氏舊本惟擬翻印一種，斯為憾事。聞楊氏主人耽阿芙蓉，頗斥賣家珍，充其嗜欲，其母嚴扃，不令與人接。陸氏書售諸吾國岩崎氏殆盡，因是不得，理或然歟。是則得瞿、丁兩家之影本，亦不可謂非幸福。而況藝風堂、觀古堂之書，傅增湘、劉承幹有名之秘本，均得藉此書以見之，尤為無上之眼福也。⑬

以上文字說明採集影印《四部叢刊》的底本時極為嚴謹，當時四大藏書樓之陸氏皕宋樓和楊氏海源閣的藏書雖名海內，但前者僅有一種被採納，後者卻連一種也沒有。葉德輝觀古堂藏書的規模雖較它們小，然卻有不少本子被採納，其中包括明翻宋岳氏刊本《周禮》十三卷六冊、徐氏翻宋刊本《儀禮》十七卷五冊、日本正平刊本《論語集解》十卷二冊、明刊本《古列女傳》七卷續一卷三冊和明刊本《鹽鐵論》十卷二冊等五種。

---

⑬ 武內義雄〈說《四部叢刊》〉，轉引自葉德輝《書林餘話》卷下，頁23－24上。原載於《支那學》第1卷第4號（1920年12月），頁76－79。

葉德輝也曾替這套叢書起草了一篇二千多言的〈例言〉，說明刊印這套叢書的緣起以及選擇底本的原則。⓮「後涵芬樓以活字印行，微有增改」⓯。

葉德輝也參與了選擇底本的工作，並曾在參與這個工作的過程中得罪了傅增湘。傅增湘《雙鑑樓藏書續記》卷上記載了葉、傅兩人曾為《鹽鐵論》一書的版本問題的一場爭論：

> 憶曩年滬館商定《四部叢刊》版行時，余語張君菊生此書莫善於藝風所藏乃真涂刻，海內無第二本最為珍秘，其餘紛紛號為涂刻者，皆正嘉間覆鋟耳。同年葉君奐彬起而抗爭，奮幾抵掌以張刻為僞，以涂刻為僞，以藝風所藏真涂刻為非真，高睨大言，歷詆張古餘、顧澗蘋、繆藝風諸人皆為誤認，且謂彼輩皆受賈人紿世間真涂本，惟吾家所藏孤帙耳。詢其藏本為何，則九行十八字，即余所斷為正嘉間本也。余反復駁詰，再三推證，堅持不易。其說菊生亦所劫持，於是竟捨繆本而用長沙葉氏藏本。余說既不售，為屏息私歎而已。今故人長往青山白首，時動哀吟，即當日奪席雄潭辯論，齗齗回思，輒為腹痛，寧敢翹亡友之過

⓮ 這篇初稿〈例言〉可見於《書林餘話》卷下，頁 16－20 上。經增改後的例言可見於《四部叢刊書錄》。

⓯ 葉德輝《書林餘話》卷下，頁 20 上。

以自矜。惟論學之道，要在心平；考證之途，必勤目涉，意氣固無所於爭，而是非終不欲曲。⓰

以上跋文記載了張元濟在刊行《四部叢刊》時，在決定刊印《鹽鐵論》一書所採用的刊本時，葉德輝主張採用明弘治刊本，傅增湘則建議採用繆荃孫所藏涂刻本，後來張元濟採納了葉德輝的建議，傅增湘對張元濟捨繆本而取明弘治本《鹽鐵論》的決定感到無可奈何。但是，最為傅增湘所不服氣的，是葉德輝的意氣用事。傅增湘在此跋中花費了頗長的篇幅來論證繆本為真涂本，指出正德、嘉靖、弘治以來的刊本乃據繆本刊刻，並多方面指出葉德輝考證上的謬誤。⓱

這套叢書雖已集中了當時藏書家所藏善本精刻印成，但也並不是完全沒有缺點的。葉德輝指出：

南北藏書家善本書，此次已搜羅迨遍。惟聊城楊氏海源閣所藏宋本四經、四史為最著名之書，當日楊致堂帥以增得之，以「四經四史」名其齋，可知其珍襲之甚。公子協卿太史紹和，公孫鳳阿舍人保彝，今皆物故，家藏書籍，閉度閣中，久無人過問，故此編所採四部善本，獨不及楊氏之藏。又日本各圖書館所藏善本尤多，以影印之費不貲，故不能多借。彼國《支那學報》載有神田喜一郎、武內義雄二君評論，所舉彼國舊本及指摘目載之本不善者，甚中

⓰ 傅增湘《雙鑑樓藏書續記》卷上，見《書目三編》（臺北：廣文書局，1969），頁 59－60。

⓱ 傅增湘《雙鑑樓藏書續記》卷上，頁 60－65。

窾竅。余亦屢與菊生商之，勸其不惜巨貲，以成完美。而主者吝惜印費，遷就成書。又其中有循人請托而採印者，如《孔叢子》、《皮子文藪》之類，皆明刻中下乘。徒以藏者欲附庸風雅，思藉此以彰其姓名。⑱

葉德輝在這裡指出《四部叢刊》的幾個缺點：一、沒有包羅楊氏海源閣所藏「四經」、「四史」之善本；二、因經費關係，沒有收入日本各圖書館所藏善本；三、採印者有「明刻中下乘」之書。葉德輝也有同調，神田喜一郎在〈論《四部叢刊》之選擇底本〉一文中討論了《四部叢刊》選擇底本的問題時說：

今讀其預定書目，大旨合於出版之主旨，四部中重要書籍，已網羅俱盡。其選擇底本，亦尚適當。雖然，論吾輩得隴望蜀之願，則如此巨構，於底本之選擇，尤宜格外注意。如《群書治要》不用日本元和二年刊本，而用有顯然臆改形跡之天明七年尾州藩刊本，注意似猶未周。《弘明集》、《廣弘明集》之用明汪道昆本，《法苑珠林》之用明徑山寺本，稍稍近似。實則當用高麗藏本。……以上云云，因見預定書目，思想偶及，聊復饒舌。幸此書尚須一兩年始成，竊願於此等處慎思熟審，俾成一完美之大叢書。⑲

⑱ 葉德輝《書林餘話》卷下，頁 20。

⑲ 神田喜一郎〈論《四部叢刊》之選擇底本〉，轉引自《書林餘話》卷下，頁 20 下－21。原載於《支那學》第 1 卷第 4 號（1920 年 12 月），頁 79－81。

神田喜一郎在看了《四部叢刊》的預定書目後，提出對該叢書底本選擇的見解。

然而，不管怎樣，《四部叢刊》的版行，對善本古籍的保存和流通，成為學者更容易得到參考書的貢獻是不可抹煞的。值得注意的是，當我們在盛讚張元濟對這套叢書的功勞時，也不可忘記其他參與者所付出的汗水，而葉德輝就是其中一個被遺忘的功臣。

拾壹、葉德輝歷史地位和學術成就的考察

一、緒言

葉德輝可說是中國近代史上一個相當具有爭議的人物。一方面不僅因為他是一個具有代表性的保守派人物，❶ 他又憑藉地方

❶ 「保守」這一名詞，往往和「頑固」、「守舊」的概念牽扯在一起。《辭海》對「保守」所作的解釋為：「維持舊狀；不求改進。」（上海：上海辭書出版社，1979）因此，「保守」給人一種故步自封，不思改進的負面印象。學術界在 1992 年以《二十一世紀》為「戰場」，針對百年中國保守主義、激進主義進行了一場辯論。參與這場爭辯的學者們對「保守」和「激進」的涵義也提出了他們的解釋。徐友漁在〈保守與錯位〉一文中對「保守」的涵義的解釋頗具參考價值：「『保守』是對既成權威和現成秩序的一種態度，它寧願維護而不是批判和變革；在一定要變的情況下，它表現為對變政的方式和速度的一種主張，它寧願小變、緩變，不作根本性變革。」（《二十一世紀》第 39 期，1997 年 2 月）。姜義華在〈激進與保守：與余英時先生商榷〉一文中指出「保守主義顯然並非不要變」，「而只是要求使變革範圍於特定的價值取向之內，範圍於尊重傳統、尊重權威、民族主義等範圍之內。」（《二十一世紀》第 10 期，1992 年 4 月，頁 135）。許紀霖在〈激進與保守的迷惑〉一文中指出有必要將

勢力，武斷鄉曲；更甚的是他私德不修，荒淫混世，校刊極為當時衛道人士所不齒的《雙梅影闇叢書》。在 1927 年共產運動興起時，繼續以嬉笑怒罵對待共產黨人，結果遭來殺身之禍。另一方面他又是著名的古文史研究者，畢生致力於古書、古物的搜集；長期進行版本目錄學、經學、文學等學術研究；撰述豐富，在學術界起著一定程度的影響。不過，一些回顧葉德輝研究的文章都指出有關這個人物的研究還存在一些薄弱環節，人們對他尚未有全面的認識。❷ 大陸學者杜邁之在觀察了學術界對葉德輝的研究後指出：

> 多年來，由於「左」的思潮的影響，文史工作者在著書立說時往往喜歡寫正面人物，而對反面人物缺乏興趣，像葉德輝這種反派人物，在中國近代史上是很有代表性的，但

「文化上的保守主義與政治上的保守主義嚴格分開」，這是「因為它們各自所憑藉的座標是不同的」。「所謂文化層面的激進或保守，主要取決於對中國文化傳統的價值取向，主張全盤推倒為激進，而文化闡釋仍然固守在本土文化框架內的是為保守。所謂政治層面的激進或保守，主要看其對現實社會政治秩序的認同態度，要求根本解決、推倒重建一個新的是為激進，主張在現存系統內作技術性調整和修補的是為保守。」(《二十一世紀》第 11 期，1992 年 6 月，頁 137)。本文採用「保守」一詞的涵義，主要是根據以上學者的解釋。

❷ 詳參張晶萍〈葉德輝研究之我見〉，見《船山學刊》2004 年第 3 期，頁 26－28；祝新生〈簡評 1979 年以來的葉德輝研究〉，見《牡丹江大學學報》第 16 卷第 3 期（2007 年 3 月），頁 20－21，28。

> 是除了少數文史工作者外，廣大讀者卻很少了解他的情況。❸

陳祖武也指出：

> 在過去較長的一段時間，由於認識上的局限，學術與政治每每糾纏不清，以至妨礙了對葉先生學術業績研究的深入。❹

臺灣學者蔡芳定指出：

> 長期以來，葉德輝思想及生活上的異端，轉移學界的注意力；葉在學術上的成就罕人探討，相關的研究（全面的、深入的）亦付闕如；即連葉氏的心血結晶《郋園全集》，似僅有中央研究院傅斯年圖書館收藏。以葉德輝在近代史中的地位，及其在學術園地裡用力之勤、沾溉之廣、惠人之多，學界之冷漠，對葉氏而言甚為不公。❺

除了受葉德輝存世時的「劣跡」，以及其著作的難得外，有關葉德輝本人資料的匱乏，或許也是人們忽視對他的研究的原因。❻

---

❸ 杜邁之、張承宗《葉德輝評傳》，杜邁之〈後記〉（長沙：岳麓書社，1986），頁 135。

❹ 陳祖武〈葉德輝集序〉，見王逸明主編《葉德輝集》冊 1（北京：學苑出版社，2007），頁 1。

❺ 蔡芳定《葉德輝書林清話研究》，〈自序〉（臺北：文史哲出版社，1999），頁 1。

❻ 祝新生〈簡評 1979 年以來的葉德輝研究〉，頁 20。

據筆者觀察，過去一些傳統史家，在研究葉德輝這個歷史人物時，往往有過分非議其個人品德的傾向，對他一生事蹟的評論往往毀過於譽，造成人們對他的反感，以致在二十世紀八十年代以前，學術界對葉德輝的研究仍流於表面，導致人們對他甚少了解。當今學者當然已擺脫了這種時代的局限和舊道德觀念的枷鎖，可是有些仍然受到了舊史著的影響。他們雖然重視葉德輝的學術成就，但認為葉德輝是個難以評價的歷史人物，或對他不願多加評論，或勉強承認他才有餘而德不足，沒有再作深一層的探討。所以，紬繹史實，將葉德輝的生平經歷，納入其所處的複雜的個人與環境因素中重新評估，顯然有助於我們更加清楚地認識他在歷史上所扮演的角色。對其學術上，尤其是版本目錄學以外的學術活動所取得的成果加以總結，這些都有助於使葉德輝的研究更趨完整。這些都是本文所要探索的論題。

二、葉德輝的歷史地位

討論葉德輝的地位，可以從兩個方面來談，一是其作為歷史人物的地位，一是其作為學術工作者的地位。

作為歷史人物的葉德輝，由於其政治立場保守，反對改革運動；在地方上武斷鄉曲，結黨營私，欺壓良民百姓，又加上玩世不恭，私德不修，荒淫混世。這些行事，多少會引起一些傳統史家和道德意識膨脹的人們對他的不滿，因而毫不留情地給予他嚴厲的批評。杜邁之、張承宗《葉德輝評傳》一書批評他是「中國近代史上有代表性的封建頑固派，是湖南著名的劣紳」，認為其

「政治立場頑固，思想腐朽」❼。皮錫瑞在其日記中，以葉德輝為湖南維新運動之「罪魁」、「禍首」、「戎首」、「渠魁」。❽

做為歷史人物的葉德輝所以遭人批評，是由於評論者在評價歷史人物時，往往會根據歷史人物的出身與地位設定一個先入為主的框架，並把這框架套在所要評價的歷史人物的身上。葉德輝出身科舉，乃是一個名副其實的「士大夫」。葉啟政在〈從文化觀點談知識分子〉一文中指出士大夫的知識特質及士大夫的行為模式、目標和理想說：

> 中國士大夫一向以儒家思想為知識的內容核心，倫理及道德是思想軸心，關心的問題是偏於人與人、人與國家社會的關係。因此，中國士大夫講究的是行為規範及人格風範，所謂「士不可不弘毅」即是一種典型的風範表徵。他們要求的是以內化的道德力量來約束自己、塑造自己的人格，重視的不是權利與義務，而是人情與感召，一個讀書人講求的是中庸、不偏不倚的生命態度。進可仕，退則隱。❾

同時，葉德輝為科舉時代所培育出來的典型傳統紳士，身為紳士有他們必須履行的社會職務。因此，當人們評價作為士大夫和紳

---

❼ 杜邁之，張承宗《葉德輝評傳》，頁 1。

❽ 林能士《清季湖南的新政運動（一八九五－一八九八）》（臺北：國立臺灣大學文學院，1972），頁 115。

❾ 陳國祥〈訪葉啟政教授：從文化觀點談知識分子〉，見徐復觀等著《知識分子與中國》（臺北：時報文化出版公司，1982），頁 26。

士的葉德輝時，很容易地就把他放入絕大多數人對士大夫和紳士認可的行為標準來診斷他。葉德輝在湖南維新變法期間阻止新政的順利推行，在辛亥革命期間則打擊進步人士；在地方上不僅沒有履行紳士的職責，反而利用這特權武斷鄉曲，結黨營私；私生活也頗為荒唐，又刊印《雙梅影闇叢書》，人格操守非人們所企望的那樣的高。以上種種行事，頗不符合士大夫和紳士的身分。倘若這些行事是由一個非士大夫和非紳士所為，那他所受的攻擊應當不會比葉德輝來得強烈。採取這種先入為主的觀點和尺度來審視歷史人物，結論往往流於主觀偏頗。

葉德輝在湖南維新運動和辛亥革命期間打擊進步人士的行為確實為人所憎惡。葉德輝個人悲劇的背後，實有複雜的個人與環境因素。若我們設身處地，從其個人與環境因素來思考，或許就能夠比較諒解葉德輝在當時的所做所為了。除了身為地主、士紳階層，使葉德輝易傾向於維護既得之利益外，其本身的學術思想亦是影響其行為傾向的關鍵因素之一。

在抵制湖南維新運動的過程中，葉德輝最大的對手是康有為和梁啟超。他所作的〈《輶軒今語》評〉、〈《長興學記》駁議〉是駁斥康有為的，〈正界篇〉、〈《讀西學書法》書後〉、〈非《幼學通議》〉，都是直接駁斥梁啟超的。葉德輝對康、梁的攻擊往往從學術辯難入手，深入到雙方在綱常名教上的根本分歧。維新派尚「《公羊》」、「斥《左傳》」，葉德輝與此相反。在學術源流上，康、梁屬於今文經學派，而葉德輝對今文經學極為反感。維新派的思想理論主要依附於《春秋公羊傳》和《孟子》，從前者引申出「三世說」，講社會發展；從後者的「民貴君輕」觀念演繹出民權學說。葉德輝對康、梁的攻擊也圍繞「春秋公羊」和「孟子」展開。圍繞《春秋公羊傳》，葉德輝主要據孔子是否有過「改制」、「偽經」問題、「微言大義」、「三世說」、孟子的「民貴君輕」思想和諸子學等六個方面對維新派進行尖銳的攻擊。不過，其攻擊雖然發端於辯學，指歸卻都在捍衛其心目中的綱常名教和夷夏之防，其核心是維護滿清的統治。❿

葉德輝是科舉時代所培育的典型傳統士紳，服膺儒學，認同綱常名教，儒家「嚴夷夏之防」的觀念深深地紮根在其心中；加上對西學認識的膚淺，以及超強的民族自信心，乃極力主張「西學中源說」，以致其思想觀念仍停留在「師夷長技以致夷」的層次，並認為宣導效法西學與西政的維新派「用夷變夏」，陰行謀逆之實。於是葉德輝竭力反對湖南維新運動，以維護綱常名教。除反對湖南維新之外，葉德輝尚協助鎮壓「自立軍」，攻擊革命黨人，支持洪憲帝制，甚至將復辟的夢想寄託在北洋軍閥身上，終生不改其保守的政治立場，最後命喪於迅速發展的湖南農民運動。⓫

時局變化等外在因素亦影響其行為傾向。辛亥革命成功，使向與革命黨為敵的葉德輝陷入危局中。朝代的更替不僅影響葉德輝的身家性命，摯友殉清而亡，以及昔日所認同的意識形態與思想觀念的信眾也逐漸覺醒而減少等，對葉德輝的心理也造成極大

---

❿ 尹飛舟《湖南維新運動研究》（長沙：湖南教育出版社，1999），頁226－230。

⓫ 洪妙娟《葉德輝（1864－1927）的政治思想與活動》（臺北：國立清華大學歷史研究所碩士論文，1998），頁92－94。

衝擊。伴隨民國成立的南北對峙與軍閥混戰，物是人非，典籍散佚，使葉德輝感受到今非昔比的落寞，只得一頭鑽入故紙堆以自遣，為保護典籍文物盡綿薄之力。民國亂象較清末有過之而無不及，在這種情況下，葉德輝更是堅定自己的信念，認為推翻帝制的做法根本是不明智的。⓬

在激進與保守之爭中，葉德輝反對維新變法運動，除了因政治上保守頑固外，從學術層面上看，至少還與其保守的民族文化立場、經學研究中的漢學取向，以及崇《左傳》而斥《公羊》的主張有關。若從學術的角度而言，葉德輝的所言所駁，也未必是無的放矢。不管是今古文之爭，還是漢宋之爭，都是學術發展的正常現象，是個見仁見智的問題。但是，由於康、梁等維新人士，或是王、葉等保守人士，都不是進行純學理的探討，而是服務於各自的政治理念的，至少是與政治主張纏繞在一起的。在一個救亡與啟蒙為當務之急的時代裡，維新變法是符合歷史發展趨勢的進步思潮。以學術的理由去反對變法，至少是不合時宜的，葉德輝也因此被刻劃成了那個時代的歷史丑角。⓭

葉德輝在社交場合上表現得玩世不恭，口不遮欄；在地方上亦霸氣十足，結黨營私，欺壓良民百姓，這些行事多少和他的出身有關。葉德輝雖生於「累代楹書」的藏書世家，算是書香子弟，但到了其父葉浚蘭，嚴格說來已是一個商人。自呱呱墜地以

⓬ 同上注，頁 95。

⓭ 張晶萍〈從《翼教叢編》看葉德輝的學術思想〉，見《湖南大學學報（社會科學版）》2004 年第 4 期，頁 48。

來，葉德輝一直就在父親的呵護下，過著極為富裕的生活，周遭有不少人供他使喚，這難免養成其驕氣。接著又順利通過科舉考試的重重考驗，考獲功名，並得到朝廷恩寵，授予官職。後來辭官歸湘後，又即刻得到張之洞、王先謙等地方名流的賞識。在他們的提拔及帶領下，葉德輝逐漸在地方上冒出了頭。之後，葉德輝在湖南政壇、社會和商場上站穩了腳步，成為了地方領袖及紳士集團首領。葉德輝前半生的日子可以說是在無往不利的情況下成長，加上強大後臺扶持，使他變得不可一世，也不懂得「挫折」為何物，更不懂得設身處地為他人著想，因此很自然地在言語上也不懂得給他人留下任何餘地。

至於葉德輝在 1910 年和投機商人囤積穀米，牟取暴利的罪行卻是我們所難以替他開脫的。資料顯示，葉德輝在長沙搶米風潮發生前曾囤積約一萬石穀米，在數量上冠於其他投機商人。⓮從商業利益的角度來看，葉德輝等投機商人囤積穀米的活動的確能給他們巨大的商業收益。可惜的是，這是一項損人利己的商業投資。穀米是人們日常的必需品，在自由買賣的情況下，穀米的價格的起落一般不會太大，一般百姓也都能負擔得起。雖然明李贄（1527－1602）曾公開宣揚「私」乃是出自人的本性，認為「趨利避害，人人同心」⓯，又說「夫私者人之心也。人必有私而後

⓮ 彭祖珍〈一九一〇年長沙「搶米」風潮〉，見湖南史學會編《辛亥革命在湖南》（長沙：湖南人民出版社，1984），頁 156。

⓯ 李贄《焚書》卷一，〈答鄧明府〉，見《四庫禁毀書叢刊》集部冊 140（北京：北京大學出版社，2000），頁 197。

其心乃見；如無私則無心矣」。⓰但若像葉德輝等人為了私利而有意識地操縱米價，不管他們的理由是如何的充分，這種行為是難以寬恕的。因為他們的這種做法，等於是置廣大黎民百姓的死活不顧。因此，葉德輝囤積穀米的行動，顯示了他人格上為富不仁的一面。

至於葉德輝私生活所以不檢點，在很大的程度上乃是出於人之本性。王夫之（1619－1692）曾說：「飲食男女之欲，人之大共也。」⓱。李贄甚至認為大聖人、英雄亦是好色的飲食男女。葉德輝的妻子早逝，他又沒有再娶，出於生理需要，或許就是他流連於聲色場所的原因。⓲進一步說，若我們回頭看，會發現文人學士實與娼妓有不解之緣。許多文人學士如李商隱、杜牧、韋應物、白居易、元稹、溫庭筠、柳永、周邦彥、蘇東坡、秦少遊、姜夔等無一不是以擁妓酬唱為尚。他們在花街柳巷過著放蕩不羈的生活，不乏有旖旎風流的豔事，為人們所津津樂道，他們的風流韻事是後人所樂於效仿的。因此，為標榜風流可能是葉德輝流連於花街柳巷的原因。清代私營娼妓業發達，給葉德輝提供了仿

⓰ 李贄《藏書》卷二十四，〈德業儒臣論後〉（北京：中華書局，1959），頁 544。關於李贄的義利觀，可參閱許蘇民《李贄評傳》（南京：南京大學出版社，2006），頁 343－360。

⓱ 王夫之《詩廣傳》卷二，〈論月出與株林〉（北京：中華書局，1964），頁 61 。

⓲ 葉德輝的妻子勞氏在他二十八歲時即已過世，此後不復娶。參閱王逸明〈葉德輝年譜簡編〉，見王逸明主編《葉德輝集》冊 1，頁 47。

效古人的條件。⑲倘若人們對那些私生活不檢點的李商隱等文人學士的文學成就能給予重視，那為什麼我們不能給予對學術，尤其是文獻學有鉅大貢獻的葉德輝同樣合理的待遇呢？

除玩弄女色外，據說葉德輝亦玩弄男色。在清末民初時期搞同性戀，乍聽下確實令人驚愕。這是因為在常人的觀念裡，這種行為在今日開放的社會裡仍不為大多數人所接受，更何況是尚受封建禮教束縛的清代社會。但是，社會史學家的研究結果證明，同性戀在不同的社會形態裡都有發生，它們的存在幾乎是與人類文明的歷史同樣悠久。從許多文獻的記載，「在中國社會史上，男子的同性戀現象是時興時衰地從沒有間斷過」。唐與五代時期男色之風漸衰，但到了南宋時又得以興盛起來。元代男色之風稍斂，而到了明代又轉入復盛，清代繼之，久盛不衰。男風之癖發展到清代甚至「進入了一個從沒有過的鼎盛階段」。關於清代的同性戀實例，稗書野史留存於今的甚多。張元賡《卮言》、袁枚《子不語》、《續子不語》、朱梅叔《理憂集》、紀昀《如是我聞》、《閱微草堂筆記》、趙翼《簷曝雜記》、張際亮《金臺殘淚記》、羊公道《隨園老人軼事》、陳森《品花寶鑑》等，對清代同性戀現象均有記載。⑳學者指出：「清代是中國歷史上同性戀史料最為豐富的時期，從數量上講是從先秦到宋元所有類似史料的總和的數倍」。且

---

⑲ 清代私營娼妓業的發展盛況，可參閱王書奴《中國娼妓史》，見《民國叢書》第三編第 15 冊（上海：上海書店，1991），頁 261－328；徐君、楊海《娼妓史》（上海：上海文藝出版社，1995），頁 81－88。

⑳ 石方《中國性文化史》（哈爾濱：黑龍江人民出版社，1993），頁 401－402，414。

這些記述幾乎沒有什麼顧忌，「各種態度：批評的、勸誡的、中立的、同情的都有充分表達；各種形式：筆記、小說、戲曲、詩詞都進行了詳盡反映」。同性戀問題也經常在涉及異性戀的著述中「不時提出，並且出現得相當自然，仿佛這類事情司空見慣，人人熟知一般」。㉑從社會史發展的角度來看，若我們對中國同性戀現象有所了解的話，就明瞭葉德輝的那種性心理變態的「斷袖之癖」在當時並非特殊行為。

平心而論，作為歷史人物的葉德輝並沒有多少值得我們稱頌的地方，這是因為葉德輝對中國歷史發展不但沒有起進步作用，反而在絕大多數的時候和進步人士大唱反調；在地方上又結黨營私，對當時社會無甚貢獻。但是，在評定像葉德輝這樣的歷史人物時，我們應以一種諒解的態度，設身處地的以他所處的時代為背景，以他所處的社會地位為根據，並嘗試了解其思想意識、心理狀態，來加以全面和客觀地分析其行事，而不應該以先入為主的觀點和尺度或傳統的道德規範來對他進行褒貶，更不可以單從其私生活上的枝節問題或個別的負面行事來否定他，進而抹殺他在學術方面的成就與地位。

三、葉德輝的學術成就

通過前文的研析，我們知道葉德輝的學術生活是極其豐富多彩的。其中以版本目錄學工作最為廣泛，並且是絕大多數的版本

㉑ 張在舟《曖昧的歷程：中國古代同性戀史》（鄭州：中州古籍出版社，2001），頁312。

目錄學家所望塵莫及的。當前輩和同時期的版本目錄學家尚把他們的工作停留在編制藏書目錄和撰寫讀書題跋記的範疇時，葉德輝在繼承這些工作的同時，進一步把工作擴大，其觸角包括書史研究，有《書林清話》和《書林餘話》二書，使得此一學術領域的研究工作在他的手中掀開了序幕；同時，也融彙前輩藏書家以及自己的藏書管理經驗，將這些經驗記錄在《藏書十約》，總結了中國古代藏書管理經驗；葉德輝也校刊了《觀古堂書目叢刻》，其中包括了不少傳世極少的前人書目，對保存古代書目和提供版本目錄學研究的原始資料的貢獻鉅大；他亦曾對前人書目，如《書目答問》、《四庫全書總目》等，進行考證和訂補的工作，將它們的闕誤加以糾正，使它們的價值得以重現。葉德輝能夠以個人力量完成了這麼多深具學術價值的工作，主要是因為他對這個學術領域情有獨鍾，加上個人能力允許，因此能給予後人留下一批可貴的版本目錄學遺產，這是葉德輝在這個學術領域的成就之一。

葉德輝的目錄學思想與方法在這個學術領域中一直以來為學者所忽視。筆者以為其目錄學思想與方法仍具一定的學術價值，可資後人借鑑。特別是他對校讎學、目錄學和版本學三者密不可分的關係的理解，是根據三者發展的歷史軌跡立論，因而能夠得出較為乾嘉學者更為正確、客觀的理解。㉒葉德輝的分類學，由

㉒ 清乾嘉時期的目錄學者曾對校讎學和目錄學的關係有不同的理解，有的以為目錄學以外無校讎學，有的認為校讎學外無目錄學。葉德輝根據校讎學、目錄學和版本學三者發展的歷史源流軌跡來理解這三者之間的關係，得出三者之間關係密不可分的結論。詳參本書〈葉德輝對校讎學、目錄學和版本學三者關係的理解〉。

於尚沒有掙脫傳統的四分法的牢籠，故不為人們所重視。但其下的細目和子目的設置，乃是在吸取前人書目的分類的滋養的同時，根據自己的學術理念和當時學術發展的趨勢所編制出的一套分類法。這套圖書分類法，對後人了解葉德輝的學術理念、當時學術發展的趨勢，以及編制圖書分類法時仍具參考價值。通過《觀古堂藏書目》，我們看到了葉德輝在編制書目時實遵循著中國傳統目錄書的編制標準，其中亦有許多為人所忽略的著錄特色。㉓最後，亦發現葉德輝的版本學不僅內容廣泛，也注意從理論上對所研究的版本學課題加以總結和概括，又能擺脫前輩學者「佞宋嗜元」，鄙夷明刻、近刻的版本學思想的牢籠，獨抒已見，強調明刻、近刻中亦不乏珍品，這新穎的版本觀，大大的改變了人們對明刻、近刻的看法。㉔這是葉德輝在這個學術領域的另一成就。

作為一個版本目錄學家，他對這個學術領域的貢獻與成就是鉅大的。時人和後人又如何看待葉德輝在版本目錄學史的地位呢？

倫明（1875－1944）在《辛亥以來藏書紀事詩》中批評葉德輝「見古本不多」，認為他「見識不廣，版本目錄學非其所長」㉕

㉓ 蔡芳定《葉德輝觀古堂藏書研究》，收錄於潘美月、杜潔祥主編《古典文獻研究輯刊初編》第 10 冊（臺北：花木蘭文化工作坊，2005），頁 71－83。

㉔ 同上注，頁 117－119。

。倫明批評葉德輝「見古本不多」，應該是針對觀古堂藏書中宋元舊刻偏低的情況而發。觀古堂內宋元舊刻偏低是個事實，但我們也同時必須看到觀古堂藏書中明清善刻偏多的現象，而明清善刻偏多正是觀古堂藏書的特色。葉德輝通過實際的考查，對宋元舊刻的價值是極為推崇的，但也同時發現宋元舊刻不可盡信，反而發現在當時為人們所鄙夷的明清刻本中，有不少可以在書品上和內容上與宋元舊刻比美。在這種新版本觀的基礎上，葉德輝乃積極地搜集明清善刻。㉖葉德輝所藏「古本」雖不多，但由於葉德輝和當時不少藏書家和目錄學家皆有深交，故得以借閱他們的藏書。這些藏書家和目錄學家所藏「古本」數量頗富，足以補足觀古堂「古本不多」的缺陷，開闊葉德輝的「見識」。同時，倫明說版本目錄學非葉德輝所長，這個批評很難以令人信服。葉德輝的版本目錄學的工作廣泛，版本目錄學著作豐富，留給了後人不少寶貴的版本目錄學思想、方法與經驗，這些貢獻是不可抹殺的事實。姑不論葉德輝其他版本目錄學著作與工作的成就，單憑一部《書林清話》就足以讓葉德輝的聲名在中國書史和版本目錄學史永垂不朽。

傅增湘（1872－1950）曾為《鹽鐵論》一書的版本問題批評葉德輝「板刻本無真鑑之力」，於版本鑑定往往「悍然武斷」，徒

㉕ 倫明著，雷夢水校補《辛亥以來藏書紀事詩》，〈葉德輝〉（上海：上海古籍出版社，1990），頁117。

㉖ 關於葉德輝重視明清善刻的新版本觀，可參閱本書〈葉德輝對宋元舊槧和明清善刻的價值的體會與認識〉。

以「空言取勝」❷❼，但我們相信傅增湘對葉德輝的批評僅是他一時的氣話而已。❷❽這是因為傅增湘曾給予《書林清話》和《郎園讀書志》頗高的評價，他說：

> 吏部君碩學通才，以藏書名海內，所撰《書林清話》、《郎園讀書記》於版本校讎之學考辨翔賅，當時奉為圭臬。❷❾

若傅增湘堅持葉德輝於版本鑑定「悍然武斷」，又以「空言取勝」，就不可能對《書林清話》和《郎園讀書志》這兩部版本目錄學著作推崇備至了。

平心而論，在葉德輝豐富的版本目錄學著作中，應推《書林清話》和《郎園讀書志》的學術價值最高。但是，比較起來，《書林清話》在版本目錄學史上的地位卻又較《郎園讀書志》高。這是因為在版本目錄學史上，和《郎園讀書志》相同性質的高水準著作頗多，因而無法突顯其價值。反之，誠如陳宏天所說：《書林清話》是「講古籍版本知識的第一部專門著作」❸⓿。由於它是這個領域的開創之作，故其地位就比較突出。對於《書林清話》，一般學者都給予極高的評價。杜邁之、張承宗在《葉德輝評傳》曾徵引學者們對《書林清話》批評：

---

❷❼ 傅增湘《雙鑑樓藏書續記》卷下，《書目三編》（臺北：廣文書局，1969），頁 65。

❷❽ 參閱本書〈葉德輝與藏書家和版本目錄學家之交往活動〉。

❷❾ 葉啟勳《拾經樓紬書》，傅增湘〈長沙葉氏紬書錄序〉，見《書目叢編》第 16 種（臺北：廣文書局，1967），頁 1 上。

❸⓿ 陳宏天《古籍版本概要》（臺北：洪葉文化事業公司，1992），頁 25。

> 對於葉德輝《書林清話》的學術成就，我國近代許多著名學者多有評論。梁啟超在《國學入門書要目及其讀法》中，曾將葉昌熾的《語石》與葉德輝的《書林清話》並列在一起，認為《書林清話》「論刻書源流及掌故，甚好。」當代著名史學家陳垣也曾將葉昌熾的《藏書紀事詩》與葉德輝的《書林清話》放在一起，加以評論，他說：葉昌熾「找到了這麼多資料，卻用詩表示出來，未免減低了價值。」顯然是惋惜葉昌熾缺乏著史之才，不知史書體例。對《書林清話》則說：「書是很好，只是體例太差。」葉德輝的這部書，體例固然差，但畢竟是以時代為次，分類編排，勝過葉昌熾的《藏書紀事詩》，給後人提供了許多方便。㉛

梁啟超和陳垣基本上都肯定《書林清話》的學術價值，只是後者嫌此書「體例太差」。杜、張以為此書的「體例固然差」，但其「以時代為次，分類編排」的做法，仍「勝過葉昌熾的《藏書紀事詩》，給後人提供了許多方便」。其他學者如戴南海以為：「攻治之階梯，當先覽《書林清話》以了解其梗概」㉜；蔡芳定在《葉德輝書林清話研究》中指出：「讀書治學，必得通知版本目錄；通知版本目錄，必先參閱《書林清話》。」㉝將《書林清話》視為讀書治學的門徑。

㉛ 杜邁之，張承宗《葉德輝評傳》，頁 89－90。

㉜ 戴南海《版本學概論》（成都：巴蜀書社，1989），頁 37。

㉝ 蔡芳定《葉德輝書林清話研究》，〈自序〉，頁 1。

繆荃孫在〈書林清話序〉中評《書林清話》說：

> 此《書林清話》一編，仿君家鞠裳之《語石編》，比俞理初之《米鹽簿》，所以紹往哲之書，開後學之派別，均在此矣。㉞

對於繆荃孫的「紹往哲之書，開後學之派別」的評價，我們有必要給予進一步闡釋。所謂「紹往哲之書」，指的是葉德輝該書中參考和引用了前人目錄著作中不少的資料。㉟對此，徐雁做了頗為精闢的解釋。他指出：「葉德輝得以撰成這部書林巨著，是基於它對古典目錄價值的新發現」。㊱他進一步解釋說：

> 我們知道，長期以來，古典目錄的作用一直局限在辨章學術、指導門徑和檢討古籍的範圍之內，其價值的發揮不是很全面。經過葉德輝的努力，古典目錄作為豐富的書史史料，才在新的層次上引起了人們的重視。如作者利用那些輯錄體目錄所載存的公牒，探討了宋代刻書「官書均未申禁」和私刻、坊刻主「假官牒文字以遂其罔之私」等史實……正因為如此，才有目錄學家總結道：「凡自來藏書家所未措意者，靡不博考周稽，條分縷晰。此在東漢劉、

㉞ 葉德輝《書林清話》卷一前，繆荃孫〈書林清話序〉，民國庚申（1920）觀古堂刊本，頁1下。

㉟ 據蔡芳定統計，《書林清話》共參考和引用了前人目錄著作 61 種。詳參蔡著《葉德輝書林清話研究》，頁 74－79。

㊱ 徐雁〈論《書林清話》〉，見徐著《秋禾書話》（北京：書目文獻出版社，1994），頁 506。

> 班，南宋晁、陳以外，別自開一蹊徑也。」(《書林清話》葉啟崟跋)㊲

以上引文說明葉德輝開創性地挖掘古典目錄中可貴的史料來從事中國書史研究，為後人提供了寶貴的經驗，開闊了後世研究書史的方法。蔡芳定曾做出這樣的一個觀察：

> 海峽兩岸在葉德輝之後所撰之中國書史及版本目錄學的著作，幾乎沒有一部不徵引《書林清話》所提供的材料。大陸方面，如：姚名達《中國目錄學史》、余嘉錫《目錄學發微》、汪辟疆《目錄學研究》、劉國鈞《中國書史簡編》、陳國慶《古籍版本淺說》、毛春翔《古書版本常談》、魏隱儒《古籍版本鑑定叢談》、來新夏《古典目錄學淺說》、王欣夫《文獻學講義》、李致忠《古書版本學概論》、戴南海《版本學概論》等。臺灣方面，如：史梅岑《中國印刷發展史》、屈萬里、昌彼得《圖書版本學要略》、陳彬龢《中國書史》、嚴文郁《中國書籍簡史》、羅錦堂《歷代圖書版本志》等。這些著作，特別是版本之鑑別及考訂，歷代版刻之特徵等書史的材料，不可避免的向《書林清話》取材。㊳

《書林清話》為相關研究提供了完整的資料，這是毋庸置疑的。

㊲ 徐雁〈論《書林清話》〉，頁 506－507。

㊳ 蔡芳定《葉德輝書林清話研究》，頁 210－211。

至於「開後學的派別」，指的是葉德輝的《書林清話》初步為近、現代中國書史的研究確定了學科體系。儘管他本人還未必有如此明確的認識，但後來書史研究者卻在事實上遵循著它。在葉德輝那裡，中國書史主要是研究刻書源流（雕版源流基礎研究、官、私、坊刻分類研究、刻書歷史專題研究）和校勘家掌故（古籍書話、古籍辨偽），兼及鈔書、藏書和書業活動史實。這一種體系大體圈定了中國書史的研究範圍，後來的研究者在這方面幾乎無所突破。㊴

葉德輝之後，「學者們紛紛將零散的版本知識加以系統化、條理化、提出許多許多創見，版本學研究因而邁入一個嶄新階段」。㊵陳宏天考論近、現代版本學研究的發展時指出這時期「出現了一系列版本學專著，出現了著錄公藏的新式版本目錄以及專考某一類或某一種書籍的考證性論著，湧現了一批著名的版本專家」，葉德輝顯然是帶動這股版本學研究風氣的先鋒人物。自《書林清話》版行後，出現的版本學專著包括張元濟《中國版本學》、孫毓修《中國雕板源流考》、錢基博《版本通義》等；版本目錄有《全國善本書總目》；考證性論著有《兩浙古刊本考》、《福建版本志》等；版本學專家除上述的張元濟、孫毓修、錢基博外，尚有王國維、傅增湘、趙萬里、王重民、顧廷龍、謝國楨等。㊶這些專著和專家，應當是在葉德輝開風氣之後的直接產物。

㊴ 徐雁〈論《書林清話》〉，頁 510。

㊵ 蔡芳定《葉德輝書林清話研究》，頁 216。

㊶ 陳宏天《古籍版本概要》，頁 24－28。

葉德輝的弟子楊樹達評其師的版本目錄學地位說：

> 縱覽吾師之盛業，殆於網羅四部，囊括九流，鑽仰有年，彌嗟卓爾。……其於史也，淹通目錄，識別版藏。凡雕刻源流，傳本真贗，莫不駢列在胸，指數如畫。即今《讀書》一志，聲重寰中，《書林》二話，遍流海外，其明證也。㊷

楊樹達出於葉德輝門下，這些言辭固有過譽之嫌，但大體亦頗得當。謝國楨對葉德輝刊刻的《雙梅影闇叢書》雖不表苟同，但對其版本目錄學的地位仍給予中肯的評價，他說：

> 葉氏為湖南土豪，出入公門，魚肉鄉里，早被紅軍鎮壓，論其人實無可取，然精於目錄之學，能於正經正史之外，獨具別裁，旁取史料，開後人治學之門徑。㊸

謝國楨對葉德輝的版本目錄學的成就的簡短評論是中肯公允的。

總的說來，葉德輝以他在學術上過人的敏銳洞察力，在繼承前人的研究成果的同時，進一步深化了版本目錄學這個學術領域的研究工作。毫無疑問的，他在這個學術領域所取得的成就與貢獻，大大地超出了同時代的版本目錄學家。以他對版本目錄學的重要貢獻和對後世的版本目錄學的研究的深遠影響等種種事實來

㊷ 楊樹達〈郋園全書序〉，見楊著《積微居詩文鈔》（上海：上海古籍出版社， 1986），頁 83－84。

㊸ 謝國楨〈叢書刊刻源流考〉，見謝著《明清筆記談叢》（上海：上海古籍出版社，1981），頁 223。

考量，葉德輝無愧為中國學術史上一位值得稱頌的版本目錄學家。葉德輝在中國學術史上，尤其是在版本目錄學史上所享有的重要地位，更應該受到充分的肯定。

除版本目錄學外，葉德輝在文字學研究上也取得一些成果。有學者批評其文字學研究的最大缺陷在於只知篤守《說文》，缺乏創見。[44]筆者認為這個說法有值得商榷之處。葉德輝生活的時代，正是甲骨文研究逐漸開展與傳播的時期，古文字研究因而也進一步深入，致使《說文》的權威受到挑戰，也使將《說文》奉為圭臬的葉德輝極為反感。他堅持《說文》為「字書祖」，「金銘多贋鼎」[45]，不相信金文，更不相信甲骨。其《六書古微》，全書無一言提及甲骨文和金文。[46]葉德輝所以對《說文》如此堅持，「三十年所持論而未有改易」[47]，原因有二：一是當時湖南交通不暢，風氣閉塞，甲骨文和金文等第一手資料，湖湘學人幾乎無從接觸；二是湖湘學風的主流還是乾嘉樸學的底子，強調材料、重視證據，[48]而甲骨文和金文的「其真其偽不能千人皆見」[49]，

---

[44] 杜邁之、張承宗《葉德輝評傳》，頁 120。

[45] 葉德輝《觀古堂詩集》，〈漢上集〉，〈讀《說文》一首寄松崎柔甫〉，見《葉德輝集》冊 1，頁 158－159。

[46] 袁慶述〈清末民初湖湘學派的古文字研究〉，見《古漢語研究》2008 年第 1 期，頁 59。

[47] 葉德輝《六書古微》，劉肇隅〈六書古微跋〉，見《葉德輝集》冊 2，頁 262。

[48] 袁慶述〈清末民初湖湘學派的古文字研究〉，頁 59。

[49] 葉德輝《六書古微》，劉肇隅〈六書古微跋〉，見《葉德輝集》冊 2，頁 262。

故葉德輝採取了保守的態度，也是完全可以理解的。不過，在對待學術方面，葉德輝也並非食古不化的老頑固。他也曾嘗試接觸有關人物與材料，以便對它們有所了解和認識。著名金石學家吳大澂（1835－1903）官湖南巡撫期間，葉德輝與他交往甚密。他對古文字的看法和考證，也影響到葉德輝對這類問題的認識，也改變了他對甲骨文和金文的看法。漸漸的，「此余三十年前所不信者，三十年後漸信之」㊿。其《說文籀文考證》中引金文以證篆籀的例子達 146 次。[51]除金文外，葉德輝也曾對甲骨文有過關注。其弟子回憶說：「若近日出土之龜兆文字以及古竹簡刻書，其文奇古多不可識，吾師以古籀遞變之形象釋之，一經考定，無以易其說。」[52]但其對甲骨文的討論，則僅限於葉德輝的講學，並無有關著述的發表。袁慶述評析葉德輝的文字學的方向與成就說：

> 就總體而言，葉氏對金甲文的研究，應該歸於《說文》研究的大範疇之內，他研究古文字（這裡專指金甲文），是想要以此來進一步證明《說文》的權威、深入《說文》的研究；也正因為如此，葉氏對古文字的研究始終沒有脫離《說文》的羈絆，形成獨立的研究方向。然而，葉氏的研

㊿ 葉德輝《說文籀文考證》，葉啟勳〈說文籀文考證跋〉，見《葉德輝集》冊 2，頁 422。

[51] 袁慶述〈清末民初湖湘學派的古文字研究〉，頁 60。

[52] 崔建英整理〈郋園學行記〉，見《近代史資料》總 57 號（1985），頁 114。

> 究為湖湘學人進入真正的古文字研究領域打開了門戶，培養了人才，葉氏雖然「平生未嘗充山長、作館師」(〈郋園學行記〉)，但受業於門者甚眾，後來成為中國科學院哲學社會科學學部委員的古文字研究大家楊樹達先生，便是出自葉德輝門下。從這個角度而言，葉氏對我國的古文字研究，也作出了一定的貢獻。[53]

這個評價是中肯的、實際的。

藏書方面，葉德輝一生雅好藏書，估計其藏書量可能已超過三十萬卷。晚清私家藏書家眾多，但葉德輝的藏書卻不能等閒視之。傅增湘曾說：

> 吏部君奮起於諸公之後，其閎識曠才，銳欲整齊四部，網羅百家，與當代瞿、陸、丁、楊齊驅並駕，惜生逢陽九，志不獲舒，而身亦被禍，然其風流餘韻猶能霑溉後學於無窮。[54]

傅增湘和葉德輝是同時期的大藏書家，與葉德輝有「北傅南葉」之稱。[55]傅氏把葉德輝在晚清私家藏書的地位提升到和晚清四大藏書家同等，實際上並非諛美之詞，這是因為無論是從藏書的質

---

[53] 袁慶述〈清末民初湖湘學派的古文字研究〉，頁60。

[54] 葉啟勳《拾經樓紬書錄》，傅增湘〈長沙葉氏紬書錄序〉，見《書目叢編》冊16（臺北：廣文書局，1967），頁2下。

[55] 李玉安、陳傳藝《中國藏書家辭典》（武漢：湖北教育出版社，1989），頁306。

與量兩方面來說，觀古堂藏書都足以和四大家比美。清乾嘉學者洪亮吉（1746－1809）在《北江詩話》卷三說：

> 藏書家有數等：得一書必推求本原，是正缺失，是謂考訂家，如錢少詹大昕、戴起士震諸人是也；次辨其版片，注其錯訛，是謂校讎家，如盧學士文弨、翁閣士方綱諸人是也；次則廣採異本，上則補石室金匱之遺亡，下可備通人博士之流覽，是謂收藏家，如鄞縣范氏之天一閣、錢塘吳氏之瓶花齋、昆山徐氏之傳是樓諸家是也；次則第求精本，獨嗜宋刻，作者之旨意縱未深窺，而刻書之年月最為深悉，是為賞鑑家，如吳門黃主事丕烈、鄔鎮鮑處士廷博諸人是也；又次則於舊家中落者，賤售其所藏，富室嗜書者，要求其善家，眼別真贗，心知古今，閩本蜀本，一不得欺，宋槧元槧，見而即識，是謂掠販家，如吳門之錢景開、陶五柳、湖州之施漢英諸書估是也。[56]

在洪亮吉看來，藏書家可分五類，即考訂家、校讎家、收藏家、賞鑑家以及掠販家。洪氏的分類，實際上也給藏書家做了等級，其先後秩序分別為考訂家、校讎家、收藏家、賞鑑家和掠販家。考訂家和校讎家之所以在洪氏心目中居首二席，是因為這些藏書家的工作不僅限於聚書而已，同時對所藏的書籍進行了考證的工作。前者「得一書必推求本原，是正缺失」；後者「辨其版片，注

[56] 洪亮吉《北江詩話》卷三，見《叢書集成初編》冊 2598（上海：商務印書館，1935），頁 29。

其錯訛」。至於收藏家和賞鑑家兩者則在洪氏的心目中分居第三、第四位，這是因為他們主要的工作就是聚書。收藏家在洪氏的心目中較賞鑑家高，是因為收藏家「廣採異本」，他們的貢獻是「上則補石室金匱之遺亡，下可備通人博士之流覽」，不像賞鑑家那樣只「第求精本，獨嗜宋刻」，但於「作者之旨意」卻沒有深入探討。至於掠販家則在洪氏的分類中殿後，是因為他們是一些牟利的書估。我們可以做這樣的推論，像這樣給藏書家分類，實際上也蘊含評論者對藏書家的看法。考訂家、校讎家和收藏家是評論者最為欣賞的對象；賞鑑家由於太過講求宋刻，對「作者之旨意縱未深窺」，對時刻也不加重視，這個缺憾在某些程度上削弱了他們對文化上的貢獻。至於專為牟利而聚書的掠販家，雖然對保存和散播古籍有一定的貢獻，但由於他們的作法有點類似位處四民之末的商人，故是最為傳統評論者所鄙視。

葉德輝十分重視題跋的處理，以為「凡書經校過，及新得異本，必繫以題跋，方為不負此書」[57]，故而他「平時每得一書，必綴一跋」[58]。葉德輝的學生劉肇隅在序其編纂的《郋園讀書志》的緣起中指出：

> 吾師葉郋園吏部，承先世之楹書，更竭四十年心力，凡四部要籍，無不搜羅宏富，充棟連櫥；而別本重本之多，往往為前此藏書家所未有。肇隅髫年，即從吾師遊，每登觀

---

[57] 葉德輝《藏書十約》，〈題跋八〉，見《葉德輝集》冊 2，頁 24。

[58] 葉德輝《觀古堂藏書目》卷一前，葉德輝〈觀古堂藏書目序〉，見《葉德輝集》冊 4，頁 1。

古堂，倒篋傾筐，任意繙閱，於是者逾廿年。偶檢一書，則見前後多有題跋。吾師嘗進肇隅教之曰：「凡讀一書，必知作者意旨之所在；既知其意旨之所在矣，如日久未之溫習，則必依稀惝怳，日知而月忘。故余於所讀之書，必於餘幅筆記數語。或論本書之得失，或辨兩刻之異同，故能刻骨銘心，對客瀾翻不竭。宋晁公武《郡齋讀書志》、陳振孫《直齋書錄解題》，異日吾子為余彙輯成書，即可援其例也。」肇隅唯唯聽之，時吾師年未及艾也。辛亥國變，避亂邑之朱亭鄉中，以舊編《觀古堂藏書目》重加理董。乙卯以活字排印二百部，一時海內外風行，然皆知吾師於群書皆有題跋未錄出也。丙辰長夏，尚農、習齋兩世兄，始屬傭書寫錄，略依書目分部，得文若干篇。大抵體近述古《敏求記》，較多考證之資；例本甘泉《雜記》，兼寓抉擇之意；遠追晁、陳二家志錄之流別，近補紀、阮二公提要之闕書。是固合考訂、校讎、收藏、賞鑑為一家言，而不同於何元錫終日為達官搜採舊書；顧廣圻畢生為人校刊善本，跡同掠販，徒耗精神也。[59]

通過劉肇隅的序言，可知葉德輝治學嚴謹，每得一書必推求本原、辨其版本、註其錯偽、搜採異本；常於書中筆記數語，「或論本書之得失，或辨兩刻之異同」，且能發前人之未發之蘊奧。他指出，《郎園讀書志》「大抵體近述古《敏求記》，較多考證之資；例

---

[59] 葉德輝《郎園讀書志》，劉肇隅〈郎園讀書志序〉，見《葉德輝集》冊3，頁1。

本甘泉《雜記》，兼寓抉擇之意；遠追晁陳二家志錄之流別，近補紀阮二公提要之闕書」，集眾家之長補眾家之短，因而劉肇隅認為其師集考訂、校讎、收藏、賞鑑於一身。[60]

誠如倫明所說，觀古堂所藏「古本不多」，僅四十多部，約占藏書總數的百分之零點六。數量最多的是清刻本，有五千五百多種，占總數的百分之七十六點五，其次則為明刻本，約為一千零六十六種，約占總數的百分之十四點七，可見明清刻本是觀古堂藏書的特色，[61]這說明葉德輝並非佞宋嗜元之輩。在私家藏書普遍盲目信仰宋元舊槧的氛圍中，葉德輝對它們有極其深刻的體認，不否認它們的重要價值，但卻沒有隨波逐流，反而重視清人之各類著作的搜集，誠屬難能可貴。也正由於他的執著，使得其

---

[60] 蔡芳定《葉德輝觀古堂藏書研究》，頁 83－84。據蔡芳定研究，《郋園讀書志》的題跋，「對版本、目錄、校勘學應包含之主要項目，大抵皆有著錄，包括（一）著錄作者姓名、籍貫、仕履及生平；（二）著錄編者、注者、序者等資料；（三）記載藏書家、校書者、刻書者、鈔書者之行事；（四）解說書名之名義與異同；（五）記載一書之篇目及內容；（六）稽考篇卷之異同及書籍之殘存；（七）引述前人書志參證或訂補其疏舛；（八）記述版式、行款、字樣、牌記及避諱；（九）記述一書之成書年代、著書原委或評其價值；（十）敘述學術源流；（十一）區別版本之異同，評斷版本之優劣；（十二）敘述一書之版刻源流；（十三）記載藏書印記及藏書授受源流；（十四）記載先輩佚聞及書林掌故；（十五）記載書估之作偽；（十六）記載得書之經過；（十七）詳載校勘過程、方法及校勘記。詳參蔡芳定《葉德輝觀古堂藏書研究》，頁 88－100。

[61] 蔡芳定《葉德輝觀古堂藏書研究》，頁 31－32。

藏書目所羅列之清人著述足可備後人編纂「清史藝文志之史材」❻❷。

除了利用其豐富的典藏編纂藏書目錄及撰寫讀書題跋外，葉德輝也往往就其藏書之中，選取未經傳刻或罕見之本，一一予以刊行。這是另一足以讓葉德輝流芳百世的學術活動。

謝國楨在〈叢書刊刻源流考〉一文中論述清道、咸至光、宣五十多年叢書刊印的情況時指出：「清季所刻叢書，所以能有其成就者，則以有力主其事之人也。其中當推陸心源、楊守敬、葉德輝、繆荃孫等，後此則為羅振玉、王國維、張元濟、傅增湘諸人。其搜輯鑑別，研賾校讎，深詣孤造，各有其獨到之處。」葉德輝在此亦在謝國楨例舉「有其成就」的刻書家之列，說明葉德輝所刻叢書價值不可忽視。他評論葉德輝的刻書成就時說他「精於校讎，著有《觀古堂所著書》、《彙刻書目》等書，其子啟倬輯為《郋園先生全書》」，又指出其「《彙刻書目》收集書目實廣，如所刊《徵刻唐宋秘本書啟》，可以知刊刻古籍之源流；校刊《天文本》單經《論語》，輯《孟子》劉熙注，皆可羽翼經學；輯《趙忠定奏議》亦有補於史事，惟所刊《雙梅影闇叢書》，大為世人所詬病云」❻❸。謝國楨在這裡肯定了葉德輝所刊刻的叢書的價值，惟對其所刻《雙梅影闇叢書》的價值則持保留的態度。

---

❻❷ 葉德輝《觀古堂藏書目》卷四後，葉啟倬、葉啟慕〈跋〉，見《葉德輝集》冊 4，頁 156。

❻❸ 謝國楨〈叢書刊刻源流考〉，頁 221－223。

葉德輝除了積極刊刻圖書外，對《四部叢刊》這套近代著名的善本叢書的成功版行立下不少汗馬功勞。[64]葉德輝與《四部叢刊》主編張元濟（1867－1959）頗有交情。他除了附議《四部叢刊》的刊刻外，也曾與張元濟商討刊印這套叢書時必須遵守的事項與原則。為了使這套叢書所收盡是最完善的本子，他也曾積極地為這套叢書訪求善本奔波。葉德輝也曾將自己的珍藏借出作為這套叢書的刊印底本，有明翻宋岳氏刊本《周禮》十三卷六冊、徐氏翻宋刊本《儀禮》十七卷五冊、日本正平刊本《論語集解》十卷二冊、明刊本《古列女傳》七卷續一卷三冊和明刊本《鹽鐵論》十卷二冊等五種。因此，當我們在盛讚張元濟對這套叢書的功勞時，也不可忘記其他參與者所付出的汗水，而葉德輝就是其中一個被遺忘的功臣。[65]

---

[64] 日本學者武內義雄在談到《四部叢刊》的價值時說：「《四部叢刊》實為中國空前之一大叢書，全部冊數有二千餘冊之多，非以前叢書可比。即其選擇之標準，亦與向來叢書全然不同。所收之本，悉為吾輩一日不可缺之物，如經部收《十三經》單注本及《大戴禮》、《韓詩外傳》、《說文》等，史部收《二十四史》、《通鑑》、《國語》、《國策》。而如同一普通之叢書，如《通志堂經解》、《經苑》、正續《皇清經解》、《九通》、《全唐文》、《全唐詩》等，則一切不採。尤可注意者，選擇原本，極為精細。於宋、元、明初之舊刻，或名家手校本中，務取本文之尤正確者。並即其原狀影印，絲毫不加移易。故原書之面目依然，而誤字除原本外，決無增加之慮。」葉德輝《書林餘話》卷下，民國十七年（1928）上海澹園刊本，頁 22。

[65] 詳參本書〈葉德輝與《四部叢刊》〉的討論。

前文指出，不少學者對其所刊刻的《雙梅影闇叢書》頗有微辭，胡耐安（1899－1977）可說是少數極力為葉德輝平反者，他說：「在我後生小子看來，這便是『人性率真』處，去偽存真，存真：真理才得以長存。讀《素女經》，正可盡其『飲食男女』之精微奧妙的義理；自無玷污於人性的獸性化；《禮記·禮運》可不也說過『飲食男女，人之大欲存焉』的話；反過來說，設或不是這樣那樣的有一『經』，豈不免有異的『幾希』都烏有了吧？且談《素女經》：《素女經》者，可稱之曰中國最古老的『性』寶典，託名黃帝，所謂『盡軒皇圖藝』的書，其間描寫男女好合，字裡行間，毫不隱諱，真個繪摹聲色，活躍紙上。」又說：「其實，葉的學問，固不僅此一書的『問答』而已。聽說還有不少『正經』書，無害於聖賢之學的『好書』行世；可堪惋惜的，舉世滔滔，大家都只屬目葉的『邪門』歪書。」[66]的確，在人們以葉德輝刊行《雙梅影闇叢書》這套「性寶典」為把柄攻擊他的品德的同時，也不可對其「正經」學問的成就與貢獻視而不見。

四、結論

葉德輝一生最可議之處，就在於其政治立場的保守和生活操守的不修。政治立場與操守品行本來就沒有必然的關係。政治立場保守的人，其操守品行不一定就污垢不堪；反之，政治立場先

---

[66] 胡耐安〈名士風流葉德輝〉，見《傳記文學》第 17 卷第 4 期（1970），頁 73。

進的人，其操守品行也未必端正純潔。但由於葉德輝在這兩個方面都表現得不盡人意，因而遭到人們的排除和否定。筆者無意對葉德輝的一些惡行進行開脫，然而，誠如前文指出，若我們對葉德輝所處的複雜的個人與環境因素有所了解的話，或許就會比較諒解葉德輝在當時的所做所為。縱然葉德輝在政治上表現得比較保守，操守品行也頗為汙穢，但我們實在不能抹煞其在學術活動，尤其是文獻學方面所取得的豐碩成果。

後記

本書是筆者近十多年來研究葉德輝文獻學的成果，由十一篇文章組成。除〈葉德輝的生平活動與學術工作〉和〈葉德輝歷史地位和學術成就的考察〉外，其他文章曾發表在學術期刊上：〈葉德輝觀古堂藏書述略〉發表在《中國典籍與文化》（2000 年第 3 期）、〈葉德輝的版本目錄學工作探析〉發表在《圖書館建設》（2000 年第 6 期）、〈葉德輝與藏書家和版本目錄學家之交往活動〉發表在《書目季刊》（第 40 卷第 1 期，2006 年 6 月）、〈葉德輝對校讎學、目錄學、版本學三者關係的理解〉發表在《國立中央圖書館臺灣分館館刊》（第 6 卷第 6 期，2000 年 12 月）、〈從《觀古堂藏書目》看葉德輝的編目學〉發表在《文獻》（2001 年第 1 期）、〈葉德輝對宋元舊槧和明清善刻的價值的體會與認識〉發表在《國立編譯館館刊》（第 30 卷第 1、2 期合刊本，2001 年）、〈略論葉德輝及其校勘學〉發表在《圖書館理論與實踐》（2000 年第 6 期）、〈葉德輝刻書活動探析〉發表在《中華文史論叢》（2012 年第 1 期，總 105 期）、〈葉德輝與《四部叢刊》〉發表在《古籍整理研究學刊》（2002 年第 2 期）。本書在出版前，除了刪除各文章間重複的部分外，也根據學術界新的研究成果和新近出版的資料作相應修訂和補充，使此書的內容更爲翔實與準確。

本書稿的完成，要感謝以下的人。

首先是感謝新加坡國立大學中文系的李焯然教授。李教授在我完成碩士學位後，又鼓勵我繼續攻讀博士學位。李教授在這多年來求學期間給我在方向的指引、疑惑的解答、錯誤的糾正，令我獲益匪淺，終身受益。

內人秀琳與兩個孩子：長女家怡，幼子家序。他們的諒解允許我在後顧無憂的情況下投入學術研究，以及完成此書的修訂和補充工作。

學生書局編輯陳蕙文小姐百忙之中為此書的出版工作付出辛勞，在此一併致謝。

本書一些篇章曾得到《文獻》、《中華文史論叢》、《古籍整理研究學刊》、《中國典籍與文化》、《圖書館建設》、《圖書館理論與實踐》、《書目季刊》、《國立中央圖書館臺灣分館館刊》、《國立編譯館館刊》等刊物編委和審稿人的賞識，允許我先發表若干研究心得，也謹在此表達我誠摯的謝意。

自知個人的識見和學養有限，本書難免有疏漏和未盡完善之處，敬希讀書不吝指正。

國家圖書館出版品預行編目資料

葉德輝文獻學考論

沈俊平著. – 初版. – 臺北市：臺灣學生，2012.05
面；公分

ISBN 978-957-15-1559-5 (平裝)

1. 葉德輝 2. 學術思想 3. 文獻學 4. 文集

011.07 100027232

葉德輝文獻學考論（全一冊）

著作者：沈俊平
出版者：臺灣學生書局有限公司
發行人：楊雲龍
發行所：臺灣學生書局有限公司
臺北市和平東路一段七十五巷十一號
郵政劃撥帳號：00024668
電話：(02)23928185
傳眞：(02)23928105
E-mail：student.book@msa.hinet.net
http：//www.studentbook.com.tw
本書局登記證字號：行政院新聞局局版北市業字第玖捌壹號
印刷所：長欣印刷企業社
新北市中和區永和路三六三巷四二號
電話：(02)22268853

定價：新臺幣三〇〇元

西元二〇一二年五月初版

01119

ISBN 978-957-15-1559-5 (平裝)

臺灣 學生書局 出版

文獻學研究叢刊

❶ 中國目錄學理論　周彥文著
❷ 明代考據學研究　林慶彰著
❸ 中國文獻學新探　洪湛侯著
❹ 古籍辨僞學　鄭良樹著
❺ 兩岸四庫學：第一屆中國文獻學學術研討會論文集　淡大中文系編
❻ 中國古代圖書分類學研究　傅榮賢著
❼ 馬禮遜與中文印刷出版　蘇　精著
❽ 來新夏書話　來新夏著
❾ 梁啓超研究叢稿　吳銘能著
❿ 專科目錄的編輯方法　林慶彰主編
⓫ 文獻學研究的回顧與展望：
　第二屆中國文獻學學術研討會論文集　周彥文主編
⓬ 四庫提要敘講疏　張舜徽著
⓭ 圖書文獻學論集　胡楚生著
⓮ 書林攬勝：臺灣與美國存藏中國典籍文獻概況——
　吳文津先生講座演講錄　淡大中文系編
⓯ 章學誠研究論叢：第四屆中國文獻學學術研討會論文集　陳仕華主編
⓰ 近現代新編叢書述論　林慶彰主編
⓱ 古典文獻的考證與詮釋：第 11 屆社會與文化國際學術研討會論文集
　淡江大學中國文學學系周德良主編
⓲ 明清時期臺南出版史　楊永智著
⓳ 當代新編專科目錄述評　林慶彰主編
⓴ 舉業津梁：明中葉以後坊刻制舉用書的生產與流通　沈俊平著
㉑ 中國文獻學理論　周彥文著

㉒ 校讎通義今註今譯　　劉兆祐註譯
㉓ 葉德輝文獻學考論　　沈俊平著

臺灣 學生書局 出版

文獻與詮釋研究論叢

❶	東亞文獻研究資源論集	潘美月、鄭吉雄主編
❷	語文、經典與東亞儒學	鄭吉雄主編
❸	觀念字解讀與思想史探索	鄭吉雄主編
❹	經學的多元脈絡：文獻、動機、義理、社群	勞悅強、梁秉賦主編
❺	明代前期楚辭學史論	陳煒舜著
❻	東亞經典詮釋中的語文分析研究論集	鄭吉雄主編
❼	莊子應世思想研究	吳肇嘉著

臺灣學生書局出版

史學叢刊

❶	李鴻章傳	李守孔著
❷	民國初期的復辟派	胡平生著
❸	史學通論	甲　凱著
❹	清世宗與賦役制度的變革	莊吉發著
❺	北宋茶之生產與經營	朱重聖著
❻	泉州與我國中古的海上交通	李東華著
❼	明代軍戶世襲制度	于志嘉著
❽	唐代京兆尹研究	張榮芳著
❾	清代學術史研究	胡楚生著
❿	歐戰時期的美國對華政策	王綱領著
⓫	清乾嘉時代之史學與史家	杜維運著
⓬	宋代佛教社會經濟史論集	黃敏枝著
⓭	民國時期的寧夏省(1929-1949)	胡平生著
⓮	漢代的流民問題	羅彤華著
⓯	中國史學觀念史	雷家驥著
⓰	嵇康研究及年譜	莊萬壽著
⓱	民初直魯豫盜匪之研究	吳蕙芳著
⓲	明代的儒學教官	吳智和著
⓳	明清政治社會史論	陳文石著
⓴	元代的士人與政治	王明蓀著
㉑	清史拾遺	莊吉發著
㉒	六朝的城市與社會	劉淑芬著
㉓	明代東北史綱	楊　暘著

㉔ 唐繼堯與西南政局　楊維真著
㉕ 唐宋飲食文化發展史　陳偉明著
㉖ 廿四史俠客資料匯編　龔鵬程、林保淳著
㉗ 王安石洗冤錄　孫光浩著
㉘ 從函電史料觀汪精衛檔案中的史事與人物新探(一)　陳木杉著
㉙ 蔣介石的功過—德使墨爾駐華回憶錄　墨爾著，張采欣譯
㉚ 太平洋島嶼各邦建國史　小林泉著，劉萬來譯
㉛ 史學三書新詮—以史學理論爲中心的比較研究　林時民著
㉜ 武進劉逢祿年譜　張廣慶著
㉝ 史學與文獻　東吳大學歷史系主編
㉞ 孫立人傳(全二冊)　沈克勤著
㉟ 孫案研究　李　敖編
㊱ 方志學與社區鄉土史　東吳大學歷史系主編
㊲ 史學與文獻(二)　東吳大學歷史系主編
㊳ 中國現代史書籍論文資料舉要(一)　胡平生編著
㊴ 北方報紙輿論對北伐之反應—以天津大公報、北京晨報爲代表的探討　高郁雅著
㊵ 中國現代史書籍論文資料舉要(二)　胡平生編著
㊶ 莊存與年譜　湯志鈞著
㊷ 中國現代史書籍論文資料舉要(三)　胡平生編著
㊸ 蒙元的歷史與文化(全二冊)　蕭啓慶主編
㊹ 超越西潮：胡適與中國傳統　周昌龍著
㊺ 中國傳統史學的批評主義：劉知幾與章學誠　林時民著
㊻ 晉國伯業研究　劉文強著
㊼ 中國現代史書籍論文資料舉要(四)　胡平生編著
㊽ 野叟曝言作者夏敬渠年譜　王瓊玲著
㊾ 避諱學　范志新著
㊿ 明清以來民間生活知識的建構與傳遞　吳蕙芳著

51 跨國移動的困境：美國華日兩族的族群關係，1885-1937 王秀惠著
52 故都新貌：遷都後到抗戰前的北平城市消費（1928-1937） 許慧琦著
53 唐代前期政治文化研究 李松濤著
54 蔣馮書簡新論 陶英惠著
55 歷史，要教什麼？——英、美歷史教育的爭議 林慈淑著
56 外交與砲艦的迷思：1920年代前期長江上游航行安全問題與列強的因應之道 應俊豪著
57 屈萬里先生年譜 劉兆祐著
58 近代中國的合作經濟運動：1912-1949 賴建誠著
59 井田辨：諸說辯駁 賴建誠著
60 學生如何學歷史？
——歷史的理解與學習國際學術研討會論文集 張元・蕭憶梅主編
61 內戰下的上海市社會局研究（1945-1949） 李鎧光著